Two week
Benthyciad pyth...

...due date to avoid overdue charges
...n y dyddiad a nodir ar eich llyfr os
...n osgoi taliadau

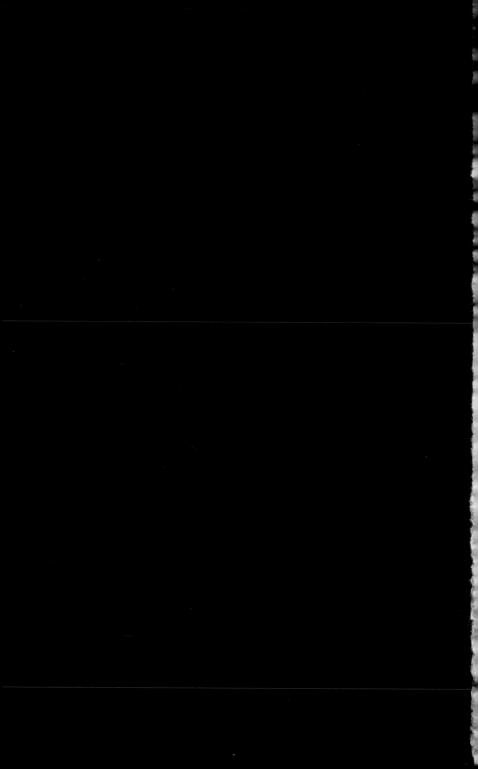

Mi querida Eva

Mi querida Eva

Gustavo Martín Garzo

Lumen

narrativa

Primera edición: marzo de 2006

© 2006, Gustavo Martín Garzo
© 2006, de la presente edición en castellano para todo el mundo:
Random House Mondadori, S. A.
Travessera de Gràcia, 47-49. 08021 Barcelona

Printed in Spain – Impreso en España

ISBN: 84-264-1562-8
Depósito legal: B. 10.801-2006

Fotocomposición: Fotocomp/4, S. A.

Impreso en Limpergraf
Mogoda, 29. Barberà del Vallès (Barcelona)

Encuadernado en Imbedding, S. L.

H 4 1 5 6 2 8

El amor es demasiado joven para saber qué es la conciencia.

W. SHAKESPEARE

1

Me llamo Daniel. ¿Recuerdan?, el profeta que sobrevivió a los leones. Soy urólogo y esta historia comienza una tarde en que hojeaba aburrido el programa del próximo congreso de mi especialidad. Nunca imaginé que Eva, mi querida Eva, pudiera regresar a mi vida de una manera tan poco romántica. Llevaba cerca de treinta años sin saber de ella y ver su nombre junto a una de las ponencias, «Cirugía del carcinoma renal», me causó el mismo asombro que si hubiera recibido la visita de un antiguo y querido fantasma en uno de esos templos indios llenos de monos. Eva Arrizabalaga y yo nos habíamos conocido en Valladolid cuando teníamos quince años. Formábamos con Alberto Mena, mi gran amigo de entonces, uno de esos tríos, tan comunes a esas edades, que no pueden vivir sin estar juntos todas las horas del día. Uno de esos tríos inseparables de los que tarde o temprano uno de sus componentes se verá fatalmente excluido por los otros dos. ¿Hace falta que les diga quién fue? Eva significa «la que da vida» y Alberto «el que brilla con nobleza», por lo que no es extraño que acabaran por enamorarse. Tampoco que su historia terminara en un desastre, como suele suceder con estas historias de juventud. Pero, en fin, la vida siempre es un desastre, por mucho que nos empeñemos en lo contrario. Incluso para los que cuentan con la protección de un nombre como el mío.

Eva Arrizabalaga era de Bilbao y ese verano lo pasó en nuestra ciudad, por circunstancias que explicaré más adelante. No era fácil entender cómo su nombre había llegado al programa de aquel congreso. Pero ¿se trataba de la misma persona? Arrizabalaga era un apellido ciertamente poco común en mi tierra, pero bien pudiera ser que en la suya no fuera así y se tratara de una simple coincidencia. De todas formas, el inesperado encuentro tuvo sobre mí el mismo efecto que la magdalena proustiana, haciendo que una buena parte de mis recuerdos de aquel remoto verano del sesenta y tres aflorara a mi conciencia con el vigor de los primeros momentos.

Fue uno de los veranos más calurosos que se recuerdan. Los termómetros alcanzaban con frecuencia los cuarenta grados, y por las noches no corría ni la más leve brisa. El calor era tan agobiante que la gente llegaba a sacar los colchones a las terrazas para poder dormir. Aquellos campamentos improvisados, con sus pequeñas luces flotando en la oscuridad, parecían pequeñas barcas a la deriva en la inmensidad de la noche. Recuerdo que yo las miraba desde mi cama, preguntándome quiénes iban en ellas y si acaso les desvelaban las mismas cosas que a mí. Todos éramos náufragos en los confines del mundo.

Valladolid era una ciudad de unos ciento cincuenta mil habitantes. Se iniciaba entonces el desarrollo económico que le haría doblar su población en apenas dos décadas, pero en el tiempo en que se sitúa mi historia aún era una ciudad tranquila, dominada por una burguesía de origen mercantil y rural. Y, por supuesto, por el clero y la propaganda franquista.

Aquél fue el primer verano que pasé separado de mis padres. Ellos se habían ido a pasar las vacaciones al pueblo y yo tenía que acudir a una academia para preparar los exámenes de septiembre. No era mal estudiante, pero ese curso había tenido demasiadas cosas en que pensar y por primera vez en mi vida había suspendido tres asignaturas.

Vivía en casa de una tía mía. Desde la ventana de mi cuarto se veía el Campo Grande, que era el parque más conocido de la ciudad. Formaba una gran mancha verde y, al anochecer, los troncos de los olmos y de los plátanos tomaban un gris ceniciento que evocaba la piel pálida y fosforescente de misteriosos animales. Arriba se veía el cielo estrellado. En la clase de geografía nos habían explicado que sólo se trataba de una acumulación de gases, minerales, calor, y átomos; sin embargo, para un muchacho en la oscura frontera de los quince años, aquel mundo de constelaciones y remotos cuerpos celestes no era sino la imagen más clara de ese jeroglífico que para él era entonces la vida.

La tía Goya era hermana de mi padre y se había ofrecido a vigilarme durante aquel mes. Era viuda y su marido había sido años atrás un médico muy conocido en la ciudad. El retrato del tío presidía el comedor. Era un cuadro al óleo, ejecutado con cierta pericia, en el que se le veía vestido con bata blanca y un fonendoscopio colgando del cuello. En una mano llevaba un manual de pediatría, y en la otra, una pajarita de papel. La pajarita estaba posada sobre su palma, y ese frágil equilibrio daba al retrato un aire melancólico y poco tranquilizador. Imagino a sus pacientes mirándolo con cierto estremecimiento, como temiendo que su salud pudiera parecerse demasiado a aquella etérea figura que, en realidad, no era sino una muestra de la que había sido la gran afición de su vida, la papiroflexia. El tío Antonio había llegado a editar un libro explicando los pormenores de aquel arte, y su fama en la ciudad se debía más a ese libro y a las charlas y exhibiciones que cíclicamente daba sobre el tema que a su actividad como médico. Algo que mi tía Goya, de un carácter enérgico y fundamentalmente práctico, no había aprobado nunca por parecerle que tal dedicación en nada contribuía a aumentar el número de sus pacientes y, en consecuencia, sus ingresos. De hecho, casi todas las broncas de la tía terminaban con una alusión a lo que ella consideraba el infantilismo impenitente de su marido.

—No hagas como tu tío, que en su vida no supo hacer otra cosa que perder el tiempo.

Ésa era la obsesión de mi tía, que había que vivir con los pies en el suelo sin dejarse llevar por los sueños. No era fácil, y mucho menos en aquel mundo lleno de tedio en que nos había tocado vivir. Yo apenas me acordaba del tío, pues era muy pequeño cuando murió. Recuerdo que venía por casa y que siempre pedía una Coca-Cola, que echaba en un vaso y removía un buen rato con la cucharilla antes de bebérsela, para quitarle el gas. Tenía la cara redonda, y sus ojos eran grandes, acuosos y vivos. También recuerdo que mi madre y las otras mujeres de la casa se lo pasaban en grande con él, de forma que, cuando venía, enseguida las tenía a todas a su alrededor.

—Ah, las mujeres, las mujeres —solía exclamar con una sonrisa bondadosa—, comedoras de lechuga y bebedoras de sangre humana. ¿Puede saber alguien lo que quieren?

Y ellas se hartaban de reír.

La tía Goya solía veranear con nosotros en el pueblo, donde tenía una casa, pero ese año había renunciado a hacerlo porque no se encontraba bien. Se le olvidaban las cosas y tenía frecuentes mareos. Una noche Pilar, su fiel criada, se la había encontrado en las escaleras en camisón, sin que luego mi tía hubiera podido explicar qué la había llevado hasta allí.

Pilar había entrado a servir en la casa familiar cuando era casi una niña y desde entonces había estado junto a mi tía. Al casarse ésta, Pilar la había acompañado a su nueva residencia como si en nada se distinguiera de los muebles y otros enseres de su dote. No podía haber dos personas más distintas y, sin embargo, la una no habría podido vivir sin la otra. Cuando se enfadaba con ella, mi tía solía mirarla con el fastidio con que se mira a una de esas mascotas a las que se perdona la vida y con las que luego no se sabe qué hacer. Era puro teatro, porque Pilar era el alma de aquella casa: mi tía no sabía ni abrocharse sola los cordones de los zapatos y sin su ayuda habría estado condenada a perecer de frío o de inanición en pocas semanas.

Pilar tenía en la mesilla de noche una fotografía de su único hermano, que había muerto durante la guerra civil. Mi tía decía que la guerra había sido necesaria porque los comunistas trataban de hacerse con España y habían empezado a quemar conventos y a meterse con las pobres monjas, que al fin y al cabo lo único que hacían era rezar por la salvación de todos. En aquella fotografía se veía al hermano de Pilar junto a otros milicianos. Eran todos muy jóvenes y andaban cogidos por los hombros, como muchachos que fueran de excursión y no le temieran a nada. Sin embargo, todos habían muerto poco después. La guerra había sido una gran preparación para el dolor, pero tres décadas más tarde lo que quería la gente era vivir bien y olvidar. Ése era el mensaje de los nuevos tiempos. Como si la vida en el mundo estuviera empezando entonces y nada de lo que hubiera sucedido años atrás mereciera la menor atención.

Mi cuarto daba a una galería acristalada y una explosión de luz me despertaba cada mañana. Me gustaba dormir sin echar las cortinas porque la luz me defendía de aquel cuarto, con sus pesados muebles de nogal, su enorme Cristo presidiendo la cabecera y aquella cama inmensa en la que, según me había contado mi padre, había muerto un tío abuelo mientras tomaba una taza de chocolate. Había sido el patriarca de la familia, uno de esos hombres de carácter fuerte empeñados en modelar la vida de cuantos le rodean. Cuando falleció, le habían encontrado con la taza intacta en las manos, como si le hubiera dado a la muerte la orden de que no derramara el chocolate sobre las sábanas y ni siquiera ella se hubiera atrevido a discutir su autoridad.

Pilar me llamaba a las ocho, y, después de remolonear todo lo que podía, saltaba de la cama y me dirigía al cuarto de baño, donde pasaba el menor tiempo posible, para luego correr a la cocina. Allí me esperaba ella con el café con leche humeante y su sorpresa diaria: torrijas, deliciosos bizcochos o pan frito. En la galería había geranios, violetas, pequeñas rosas, semilleros de tomates y pimientos para trasplantarlos, todo ello recién regado. La pureza de las flores blancas, los tonos colorados, cubiertos por la fina capa dorada de la luz del verano, daban a aquella galería una extraña cualidad protectora. Pilar se quedaba de pie, sin dejar de mirarme, mientras se oían los aleteos de las palomas en el alféizar de la ventana, donde solían dormir. Tenía unos ojos castaños, profundos, llenos de vida, pero lo más sorprendente eran sus pestañas, largas, rojizas, infantiles, como si acabaran de ser arrancadas de una de esas antiguas leyendas en que el hombre seguía conviviendo con ángeles y demonios.

Terminaba de desayunar y me despedía de ella con un beso. La academia donde recibía las clases no estaba lejos, y para llegar a ella atajaba atravesando el parque. A esas horas no hacía calor, y la pequeña fauna del lugar, patos, pavos reales, palomas, se movía a sus anchas por los paseos recién regados. Me gustaba recorrer aquellos paseos, sintiendo la frescura de la hierba y el rumor de las hojas. A veces lo cruzaba una hilera de gansos, en orgullosa fila india, con los más pequeños imitando las maneras marciales de los mayores. Daban ganas de seguirlos, como si fueran unas criaturas sagradas. No, la belleza no era una invención humana. Los matices del verde, las ramitas, la hierba densa y suave, aún empapada de rocío, parecían preparar la llegada de los niños. Nadie sabía más que ellos del amor. Muy pronto estarían correteando por los paseos, bajo la mirada atenta de sus madres jóvenes y hermosas, y se detendrían cada poco para buscarlas con los ojos y comprobar que seguían allí. Entonces correrían hacia ellas y se abrazarían a sus cuellos, acariciando la piel de sus hombros y de sus brazos, fragantes como las manzanas del verano.

La academia se llamaba Atenea, como la diosa griega de la sabiduría. Falta nos hacía una protección así, porque en aquellas clases no abundaba precisamente el deseo de conocimiento. Repetidores y suspendidos de distintos colegios se reunían en sus aulas cada mañana, arrastrando su indolencia, como si ésta no se debiera a una debilidad de carácter, sino a un mal que hubieran contraído contra su voluntad, un mal que afectaba a barrios enteros. El único aliciente eran las clases mixtas. En aquel tiempo los sexos estaban radicalmente separados y en los colegios de frailes y monjas a los que íbamos jamás se habría permitido que chicos y chicas compartieran los mismos pupitres, como pasaba en aquellas academias. Recuerdo especialmente a una de mis compañeras. Su nariz era pequeña, fina y bien dibujada, y sus ojos, color avellana. Tenía el cabello espeso y negro intenso. Toda ella parecía concebida para la dicha, y sin embargo la dominaba un fastidio sin fin. Cuando se sentaba a tu lado, lo que siempre solía hacer al cabo de un buen rato de haber empezado la clase, era como si quisiera aplastar su corazón en la tabla del pupitre. Parecía capaz de cualquier cosa. Tenías la sensación de que en cualquier momento podía disparar contra ti.

Al terminar las clases, yo corría a buscar a Alberto, mi mejor amigo. Los dos íbamos al colegio de los jesuitas, y teníamos la misma edad. Su familia tenía una pequeña tienda de ultramarinos y Alberto, en vacaciones, ayudaba a su padre a despachar. El negocio era humilde, y el padre trajinaba lo suyo para que su hijo fuera al mejor colegio de la ciudad. Alberto era un estudiante brillante, pero nunca terminó de integrarse en un colegio al que acudían los retoños de la burguesía más acomodada como a su propia finca y donde los premios se daban en el teatro principal de la ciudad, con la presencia del obispo, el gobernador y los jefes militares. Eso casaba mal con el hecho de que luego tuviera que correr a su tienda, ponerse el mandil y ayudar a su padre a despachar lentejas y pimentón. En aquel colegio, proceder de un pueblo o pertenecer a una familia humilde era un estigma que difícilmente se pasaba por alto.

De modo que yo ayudaba a Alberto a cerrar la tienda y luego corríamos a las piscinas con los bocadillos que nos habían preparado en casa. Íbamos agarrados del hombro, como si nada en el mundo nos pudiera separar. Había dos piscinas, las piscinas deportivas, que pertenecían al Frente de Juventudes, y las piscinas Samoa, que eran de pago. Estaban situadas una junto a otra, en la orilla del río Pisuerga, y se accedía a ellas por un paseo bordeado de plátanos. Las ramas de los plátanos se juntaban por encima de nuestras cabezas, creando un pasillo de sombra cuyo rumor, cuando soplaba el aire, recordaba el del agua al correr. Alberto y yo íbamos a las piscinas Samoa porque el encargado le debía algo a mi padre y teníamos entrada libre. A mi padre, que era de la policía secreta, todos le debían cosas, y cuando íbamos por ahí raras veces le dejaban pagar en los bares. A mi madre no le gustaba, y le reprochaba que lo aceptara.

«Tenemos nuestro propio dinero —solía decir—. Tarde o temprano querrán que les devuelvas el favor.»

Las piscinas Samoa estaban situadas en un bonito edificio que recordaba a un pequeño barco, con sus ventanas redondas, su pequeña torre de mando y su chimenea. Allí estaban los vestuarios y el bar. Escuchábamos al entrar la música de los altavoces, que sonaban a todo volumen, para amenizar el baño. Música francesa, y dulces baladas italianas que llenaban nuestro pecho de confusos anhelos. Bajo el fuerte sol del mediodía, y al amparo de aquella música, no había un lugar que nos pareciera más lleno de promesas. El sol se reflejaba en las aguas limpias de la piscina, y la música parecía ser una continuación de aquel mundo de reflejos y de sutiles transparencias. Allí iban las chicas que nos gustaban. Tenían nuestra misma edad y desplegaban sus bolsos y sus toallas de colores junto a la piscina. Iban, como nosotros, a los colegios religiosos de la ciudad, y, como nosotros, eran hijas de la pequeña burguesía de entonces.

Alberto y yo nos cambiábamos en los vestuarios e íbamos a ver a Nacho Castro, nuestro jefe, que siempre nos tenía algo preparado para hacer, normalmente poner los discos o vigilar la piscina de los niños mientras el encargado se iba a comer. Los discos eran de vinilo y había que andarse con mucho cuidado para no rayarlos. Solía ser yo el encargado de ponerlos. Al pequeño cuarto del tocadiscos se accedía por el bar, y las chicas se pasaban el día pegadas al mostrador para pedirme canciones, cuyos títulos yo anotaba en un papel, mientras ellas se reían y se decían cosas al oído, revelando ya desde muy temprano esa pasión tan femenina por el secreto y el doble juego. Aquellas canciones de amantes que velaban en la noche, de desgarradoras despedidas y de melancólicas entregas, las volvían literalmente locas. No habían tenido tiempo de experimentar nada de aquello, y sin embargo ya se movían en aquel mundo de apretones y vuelcos del corazón como pez en el agua.

Fue en aquellas piscinas donde Alberto y yo conocimos a Serafín Parra, el Centella. Era el encargado del bar. Apenas tenía cincuenta años, pero a causa de su afición a la bebida parecía casi un anciano. Procedía de Íscar, el pueblo de los pinares y de las fábricas de muebles. Nacho Castro, nuestro jefe, que también era de allí, le echaba una mano siempre que podía. Era él quien le había proporcionado aquel humilde empleo veraniego en la piscina, más por tenerle entretenido que por el escaso dinero que le pudiera proporcionar.

Serafín Parra había sido en sus tiempos un magnífico boxeador. Antes de la guerra, había peleado más de cuarenta veces como profesional, y treinta de ellas había ganado por K.O. Estaba a punto de combatir por el título de España de los pesos welter cuando empezó la guerra. Tuvo que alistarse y permaneció en el ejército cerca de diez años. Cuando colgó el uniforme, sólo tenía una obsesión: volver a pelear. No había dejado de entrenarse, y en aquel yermo que era entonces el deporte en España no le fue difícil brillar con luz propia. Su regreso fue tan espectacular como meteórico. Consiguió el título que había acariciado antes de la guerra y se convirtió en uno de los deportistas más famosos de entonces. Falangistas y jefes provinciales del Movimiento se fotografiaban a su lado en el ring, presentándole como ejemplo de esa nueva generación llamada a regenerar España. Sin embargo, aquella luna de miel apenas duró unos meses. Sus mentores, obsesionados con encontrar modelos que sirvieran de guía y estímulo a una juventud desmoralizada, sin trabajo y sin porvenir, le enzarzaron en un combate tras otro sin apenas darle tiempo para recuperarse. Su objetivo era que llegara a ser nombrado aspirante oficial al título europeo, pero se cruzó en su camino un boxeador mexicano llamado Chava Palacios. Este combate iba a ser el último peldaño de Serafín Parra en su escalada al ansiado título, pero el Chava resultó un hueso duro de roer. Le habían traído de América con el fin exclusivo de que le sirviera de *sparring*; sin embargo, conservaba una pegada demoledora y se dieron una paliza fenomenal. Serafín Parra ganó el combate por puntos, gracias a una escandalosa decisión de los árbitros. Volvió a boxear dos semanas después, sin haberse recuperado, y un desconocido le noqueó en el primer asalto. Aquello fue el principio del fin. Perdió reflejos, sus golpes se hicieron más inseguros y, ya fuera porque la sucesión de combates y golpes había dejado en él alguna secuela física o porque el escándalo que había acompañado su victoria con Chava Palacios le había hecho perder la confianza, no volvió a ser el mismo.

Empezó a perder un combate tras otro y, apenas un año después, malvivía gracias a combates organizados en las fiestas de los pueblos. Luego dejó el boxeo y se quedó prácticamente en la calle. Fue entonces cuando un conocido escritor del régimen, que había seguido su meteórica carrera, se lo encontró en un tugurio y, compadecido de su declive, le consiguió un puesto de portero en el hotel Palace, que era uno de los hoteles más importantes de Madrid. Ese trabajo daría lugar a la historia más maravillosa de su vida, pues una noche salió en defensa de Frances Dee, una conocida actriz norteamericana. Se alojaba en el hotel y, justo en la entrada, su acompañante, completamente borracho, trató de pegarle. Serafín se interpuso y le noqueó de un solo golpe. Lo expulsaron del hotel pero, a cambio, cuando la actriz volvió a Estados Unidos, se lo llevó con ella. Serafín permaneció a su lado, haciendo de chófer y de guardaespaldas, cerca de cuatro años. Regresó a Valladolid con dinero y puso un comercio de armas y de artículos de deportes en la plaza Mayor. Le fue bien al principio pero luego, poco a poco, empezó a descuidar el negocio a causa de la bebida, a la que muy pronto volvió a aficionarse. Nacho Castro nos contó que detrás del mostrador había una puerta tapizada con fieltro verde que comunicaba con una pequeña sala, donde en los buenos tiempos Serafín tenía una tertulia. Adornaban la sala muchas estampas deportivas y abundantes copas y cinturones, que constituían los preciados trofeos que Serafín Parra, el Centella, había ganado durante su corta carrera. Todos los aficionados al boxeo de la ciudad pasaban por allí y hablaban de los combates del pasado, comentaban las noticias de la actualidad y hacían previsiones acerca de los tiempos futuros. También acudían antiguos boxeadores, en especial los que se encontraban sumidos en la pobreza o pasaban por un mal momento. Era proverbial la generosidad de Serafín Parra, quien jamás le cerró la puerta a un hombre de su oficio, si podía remediar su situación con consejos o con una buena comida. Aunque no hubiera forma de arrancarle una palabra acerca de lo que había hecho en Hollywood ni en qué habían consistido sus relaciones con aquella actriz.

«Pero vamos a ver, Serafín —le preguntaban sus compañeros de tertulia—, ¿te la tirabas o no te la tirabas?»

Y Serafín torcía el gesto, farfullaba algo entre dientes y abandonaba la sala, fingiendo ocuparse de algún asunto urgente. Allí, en un lugar preferente de la tienda, había una fotografía que demostraba que lo que contaba era verdad. En ella se veía a aquella actriz con las manos en las caderas, y, a su derecha, a Serafín Parra en posición de combate. Tenía el torso desnudo y las manos enfundadas en unos voluminosos guantes de boxeo, como dispuesto para la pelea. Detrás había un árbol de gran tamaño de cuyas ramas colgaba un nido en forma de corazón gris.

La tienda acabó cerrando. Serafín Parra no estaba hecho para llevar un negocio. Además, había vuelto cambiado de aquel viaje, ya que el mundo que había conocido al otro lado del océano pertenecía, como habría dicho mi madre, al reino de las cosas que no se pueden tener. Por eso volvió a la bebida. Bebía hasta perder el sentido, y se pasaba días enteros sin aparecer por la tienda. Y ya se sabe qué es eso. Empezó a contraer deudas y a pedir préstamos, cuyos intereses se llevaban sus escasas ganancias, hasta que tuvo que cerrar. Ya no levantó cabeza. Tuvo múltiples trabajos y cada vez duraba menos en ellos. Se le veía silencioso en los bares, apurando sus copas de ponche, o en la fonda de la estación, hasta altas horas de la madrugada. Bebiendo hasta reventar.

Por las tardes solía acudir a un gimnasio de boxeo, regentado por un viejo amigo suyo. Era apenas un tejado de uralita y, según nos contaban los chicos que entrenaban en él, en invierno el frío era tan intenso que muchos días, cuando iban a sacar agua al pozo, el caldero rebotaba contra la capa de hielo que se había formado durante la noche. Allí, bajo la férula de Mateo Primero, el entrenador, se formó un grupo de chavales que daría fama a nuestra ciudad de practicar un boxeo elegante y estético, más basado en la habilidad y el estudio del rival que en la fuerza bruta. Fue Serafín Parra el que una tarde, a comienzos del verano, nos llevó al gimnasio y nos presentó al entrenador. El boxeo era un arte pero, sobre todo, una ciencia. Alberto y yo cogimos afición al gimnasio y empezamos a pasarnos todos los días cuando terminaban las clases en la academia. Allí, al contrario que en nuestros ensueños adolescentes, todo era real. Los golpes, el agua que había que sacar del pozo y que nos arrojábamos con un caldero, el olor del sudor y de nuestros guantes, la camaradería que reinaba entre nosotros. Conservo una fotografía de ese tiempo. Mateo Primero está situado frente al pozo, junto a tres cubos llenos de agua, y a su alrededor estamos todos nosotros con el torso desnudo y nuestros exiguos calzones de entrenamiento, que entonces se llevaban muy ajustados. Mateo Primero nos decía que allí no se iba a soñar y que si queríamos llegar a ser alguien en ese difícil mundo más valía que tuviéramos el pensamiento puesto tan sólo en el gimnasio. Lo más importante era que nos olvidáramos de las chicas. Ellas eran la gran debilidad, y muchos grandes boxeadores habían terminado perdiéndolo todo a causa de las mujeres.

Los sábados, Alberto y yo no nos perdíamos las veladas al aire libre que tenían lugar en las piscinas deportivas. Eran muy animadas, y en ellas solían alternarse dos o tres combates de aficionados con uno de profesionales. Los de aficionados eran a tres asaltos, y los profesionales a cuatro. Venían a pelear los mejores boxeadores del momento, y siempre había una gran expectación que se traducía en largas colas a la entrada. Los vendedores de refrescos llevaban su mercancía en calderos con hielo picado, y olía a tabaco rubio y a colonia barata. Los combates tenían lugar en la cancha de baloncesto, junto a las piscinas. Allí levantaban el ring y, en las pausas, percibíamos la frescura del río y el rumor del viento en las hojas. Las riberas estaban llenas de sauces, olmos y chopos, y cuando soplaba la brisa veíamos, por encima de la tapia, agitarse sus ramas, como arrebatadas por la misma excitación del combate. Si la noche era con luna, el brillo plateado de las hojas le daba un halo de misterio y de lujo inexplicables.

Aquella tarde Alberto y yo hacíamos un poco de tiempo antes de asistir a la velada de boxeo, y decidimos acercarnos al río.

Las barcas flotaban sobre la corriente como pequeños juguetes. En muchas de ellas iban parejas. Se acercaban a la orilla y se perdían bajo las ramas mirando hacia un lado y hacia otro, como si se sintieran espiadas. Hacía poco habían encontrado en la orilla, junto a los carrizos, las salicarias y los lirios de agua, el cadáver de una mujer. Según se comentaba en el periódico, el cuerpo había aparecido con la cabeza recostada sobre un almohadón. Era extraño que su propio asesino hubiera tenido aquel detalle de increíble delicadeza.

—¿Qué te parece la chica nueva? —le pregunté a Alberto, mientras encendíamos un pitillo. El humo formaba a nuestro alrededor vetas delicadas que recordaban el interior de la madera.

La chica nueva era Eva Arrizabalaga y estaba pasando unos días en la finca de Beatriz Ocaña, que era hija del gobernador civil. Beatriz no solía quedarse allí los veranos, pero ese año tuvo que hacerlo porque su madre se puso enferma. Se aburría mortalmente en la finca y empezó a ir a las piscinas Samoa, donde se exhibía junto a sus amigas con esa mezcla tan femenina de complacencia y fastidio.

La casa de los Ocaña estaba situada junto a Peñafiel, en el centro de una finca inmensa cubierta de viñedos. La tierra era de color rojo, y descendía suavemente hasta el río. Allí los árboles formaban una tupida vegetación, que revelaba la cercanía del agua. Sentías la poderosa corriente del río Duero antes de ver su cauce, como si el aire estuviera imantado. Yo había conocido esa finca unos años atrás. El padre de Beatriz ya era gobernador, y mi padre le fue a ver varias veces ese verano para tratar asuntos que concernían al orden público. Eran épocas movidas y mi padre tuvo que verse repetidas veces con él. Una de ellas me llevó en su coche, y mientras se retiraban a hablar me dejaron con las niñas, que estaban jugando en el patio. Recuerdo los macizos de adelfas blancas y rojas temblando como cabelleras adornadas con cintas, y la cal de las paredes, cegadora a la luz del verano. Beatriz y sus amigas estaban jugando bajo una enorme higuera como si su olor dulzón las hubiera convocado allí, a la vez que a los centenares de pájaros que volaban entre sus ramas buscando las moscas, las avispas y las abejas. Yo entonces tenía diez años y ellas uno o dos más. Llevaban vestidos de colores vivos y sus movimientos eran ágiles y repentinos, como si también ellas participaran del festín de insectos. Jugaban a las tiendas y me asignaron un pequeño comercio en el que tenía que vender todo tipo de productos: higos, trozos de tejas, diminutos ramos de margaritas, botones y lágrimas de cristal. Aún recuerdo aquellas lágrimas. Debían de proceder de una lámpara que se había roto y en el patio, recogidas en nuestras manos, brillaban como grandes gotas de agua que misteriosamente no se llegaban a derramar. Me pusieron un mandil y tenía que ir de un puesto a otro, con un cesto bajo el brazo, preguntando cuánto valían las cosas. Fue así como me encontró mi padre. No debió de gustarle aquello porque enseguida, con un visible tono de enfado, me dijo que nos fuéramos. Luego, en el viaje de vuelta, no me dirigió la palabra. Cuando llegamos a casa, antes de bajarnos del coche, dijo, sin ni siquiera volver la cabeza:

—No quiero que te vuelvas a vestir así.

—Ha sido Beatriz —me atreví a contestarle—, me dijo que los chicos no van al mercado.

—Pues haberle mandado a tomar por culo.

—Papá —me atreví a contestarle, sobreponiéndome al deseo de echarme a llorar—, no hables así, por favor.

Sabía que cuando empleaba aquellas palabras era capaz de cualquier cosa. Tenía miedo a que me pegara.

—Pues no me hagas cabrear.

Seguíamos en el coche y, a través de las ventanillas, veía nuestra casa y las leves acacias que se mecían en el aire. Eran tan esbeltas que sus ramas más altas llegaban a la altura de nuestro piso. Las mañanas de domingo me bastaba con abrir la ventana para percibir el olor intenso de sus flores carnosas y el más leve y ácido de sus hojas.

—Prefiero verte muerto antes que maricón. ¿Me has entendido?

Se volvió hacia mí, y en sus ojos había un odio que no entendía.

—Sí, papá —le dije, al tiempo que instintivamente me apartaba hacia la puerta.

Yo no sabía qué había hecho mal. Aún era un niño, y sólo quería subir las escaleras y correr a refugiarme en los brazos de mi madre, que en ese tiempo era como las acacias y tenía el olor de sus flores y de sus hojas. Pero al llegar a casa sentí la mano férrea de mi padre sobre mi hombro. Se oían ruidos en la cocina, y la luz del sol proyectaba a través de la puerta un rectángulo dorado sobre la pared y el suelo del pasillo.

—Y de esto —añadió—, ni una palabra a tu madre.

Pero a ella le bastó ver la cara que traíamos para darse cuenta de que había pasado algo. Fue a sonsacarme poco después. Se iba secando las manos en el mandil, rojas por la lejía. A mi padre no le gustaba que fregara porque decía que para eso teníamos una criada, pero mi madre no podía ver un plato o una cucharilla sucia. Y se pasaba el día con la bayeta en la mano, sacando brillo a todo lo que pillaba.

—Pero ¿puedes parar quieta de una vez? —le decía mi padre, irritado.

—No, no puedo —le contestaba ella.

Esa tarde, al entrar en mi cuarto, lo primero que hizo fue ponerse a ordenarme los libros y los cuadernos. Luego escupió en una esquina de la mesa, que enseguida se puso a frotar con la punta del mandil. Era algo que hacía a menudo conmigo. Todos los niños tenían alguna vez las mejillas sucias y todas las madres empleaban su saliva para limpiárselas tiernamente.

—Vamos a ver, ¿qué ha pasado? —me dijo, deteniéndose de repente para buscar mi mirada.

Estaba sentado en la cama y, a pesar de mis esfuerzos, mis ojos se llenaron de lágrimas. En aquel tiempo vivíamos al lado de la estación y el eco de los trenes nos llegaba a través de los tejados y los balcones como una voz violenta que saliera de un pozo. Le conté lo que había pasado.

—No le hagas caso —añadió, mientras me empujaba levemente con su cadera para hacerse un hueco a mi lado—. Tu padre es un animal.

Sabía que mis padres no eran felices. Que incluso habían estado a punto de separarse cuando aún no había nacido yo. Mi hermano Ángel tenía tres años y mi madre se fue con él a Zamora, a casa de una hermana. Pero ésta se las había arreglado para que regresara con mi padre. Mi madre la llamaba la conjura de Toro, porque había sido en Toro donde su hermana se había citado a escondidas con mi padre, y donde habían terminado reconciliándose. Incluso puede que hubiera sido esa misma tarde cuando llegaron a concebirme.

«Las parejas no deberían andar solas por la orilla del río», solía decir mi madre, con una sonrisa triste, cuando recordaba lo sucedido aquella tarde de primavera.

Creo que mis padres se sentían atraídos el uno por el otro, incluso con mucha intensidad, pero no llegaban a entenderse. Eran demasiado distintos. Además, había pasado lo de mi hermano, aquel accidente que le había costado la vida, y eso mi madre nunca se lo perdonó, ya que pensaba que el arma jamás habría llegado a sus manos si, como ella solía decir, mi padre «hubiera trabajado en un sitio más normal».

—¿Y qué es un sitio normal? —le replicaba mi padre, irritado por su insistencia.

—Un sitio donde no pueda pasarte nada malo.

Eso era para mi madre la felicidad, poder vivir sin temor. Algo tan real y benéfico como la harina, la nata de la leche o los huevos con que se preparaban los bizcochos, las natillas y los buñuelos de viento.

—La gente necesita cosas bonitas que llevarse a casa cuando termina su jornada.

—¿Y qué piensas que traigo yo? —le replicaba él.

—Sólo pesadillas —le contestaba mi madre, con los ojos fijos en aquella pistola que llevaba disimulada bajo la chaqueta. Las lágrimas parecían a punto de brotar de ellos.

—Las pesadillas forman parte de la vida. Yo no tengo la culpa de que el mundo sea como es.

Pero mi madre no lo veía así. El mundo para ella eran los niños que jugaban en el parque, los ancianos y las parejas de novios, las tiendas, los árboles con sus colores vivos, la arena fina de los paseos, las flores perfumadas de los jardines cuando llegaba la primavera y las leves ondulaciones doradas de las piedras del fondo del estanque. Un lugar donde todo estaba en su sitio, como pasaba en el cielo estrellado. Donde los hombres eran laboriosos y atentos y las buenas chicas se casaban enamoradas y para siempre. Un lugar, tal como se mostraba en las películas que veíamos cada semana en el cine, en el que ninguna persona decente debía hacer nada para oponerse al corazón de una mujer.

Ese verano la novedad fue Eva Arrizabalaga. Estaba viviendo en casa de Beatriz y era una adolescente alta y delgada, con el pelo negro azulado, ojos oscuros y una piel notablemente blanca, sin una sola mancha. Llevaba el pelo muy corto, y tenía un aire dulce y ausente porque había entrado ya en la edad del silencio y la reserva. De hecho, apenas participaba de las conversaciones de sus amigas.

Cogió la costumbre de acercarse al bar o a cualquier otro sitio donde Alberto estuviera haciendo algo, y se quedaba mirándolo.

—¿Qué haces? —le preguntaba.

—Estoy recogiendo las hojas.

Las hojas de los árboles se colaban en el recinto vallado de la piscina cuando soplaba el viento, y había que retirarlas del agua con una red sujeta a una larga pértiga. Las hojas de los plátanos flotaban en la superficie como si fueran manos de ahogados.

—Mira, allí hay una —le decía Eva, señalándole una hoja que Alberto había pasado por alto.

A veces le ayudaba desde el agua. Se tiraba a la piscina y le daba las hojas que iba recogiendo. Siempre de una en una, aunque eso la obligara a multiplicar sus viajes. Alberto no entendía aquella extraña conducta.

—Esa chica me pone nervioso —me decía lleno de congoja—. Creo que no está bien de la cabeza.

Cuando terminaban de recoger las hojas, Eva salía de la piscina y volvía con Marta Serrano, Beatriz y las otras chicas.

—Bueno, ya me voy —murmuraba.

Alberto la despedía con un leve movimiento de cabeza, simulando indiferencia, pero sólo para mirarla a hurtadillas mientras se alejaba por el borde de la piscina.

Esa tarde, mientras hacíamos tiempo para asistir a la velada de boxeo, estuvimos hablando de ellas, y de lo extraño que era que Beatriz Ocaña pasara el verano en la ciudad, en vez de ir a Castro Urdiales, que era su lugar habitual de veraneo. Estábamos en la orilla del río. Los gorriones se movían en bandadas ruidosas a nuestro alrededor y la luz de la tarde tenía una consistencia casi física. De vez en cuando se veía una urraca, con su plumaje de color blanco y negro, que a la luz del sol resultaba lleno de reflejos verdosos y púrpuras, sobre todo en las plumas de la cola. No eran demasiado temerosas, pero cuando te acercabas más de la cuenta emprendían la huida. Su vuelo era entonces un movimiento lento y amariposado, en el que se alternaban rápidos aleteos con planeos cortos.

Un poco más allá, entre los carrizos y las salicarias, vimos un grupo de ánades reales. Solían aprovechar las horas más tranquilas del atardecer para salir del agua a buscar alimento, y eran capaces de recorrer enormes distancias y llegar hasta la carretera. También vimos pollas de agua, con sus picos color rojo y sus colas siempre agitadas. En la época de la reproducción se podían ver sus polluelos, que parecían bolas de plumón negro con marcas rojas en la cabeza y pico anaranjado. Eran capaces de nadar y bucear a los pocos días de salir del cascarón.

Se estaba haciendo de noche y frente a las piscinas deportivas ya empezaba a haber el bullicio típico que precedía a aquellas veladas. Aún faltaba más de una hora para el inicio de los combates, pero los chavales empezaban a merodear por allí, esperando la llegada de los boxeadores. Los profesionales, que eran los que más expectación causaban, solían llegar en coches lujosos de vistosos colores, que aparcaban en la misma puerta, mientras decenas de chavales se abalanzaban para saludarlos o darles palmadas en los hombros. El año anterior habíamos visto al gran campeón Luis Folledo, que llegó conduciendo un descapotable rojo, acompañado de una rubia muy maquillada que sonreía a un lado y a otro imitando a las actrices de cine, y cuyos tacones, inverosímilmente altos, la sostenían de milagro. Los vendedores de refrescos ya estaban también allí, con sus cubos de hielo picado, junto a los que vendían cigarrillos —que comprábamos sueltos—, pipas y caramelos. El viejo paseo de los plátanos, iluminado por bombillas de escasa potencia, empezaba a animarse poco a poco a la espera del comienzo de los combates. Fue cuando Alberto se dio cuenta de que las puertas de las piscinas Samoa permanecían entornadas.

—Joder, hay alguien dentro —dijo Alberto, alarmado por el descubrimiento.

Según nos había contado Nacho Castro, nuestro jefe, a comienzos de la temporada unos gamberros habían entrado a robar las bebidas del bar causando importantes destrozos. «Puedo entender al que roba —decía Nacho Castro siempre que comentaba el suceso—, pero no al que hace daño sólo por joder. ¿Qué provecho saca?»

Alberto y yo nos acercamos a la puerta y entramos extremando las precauciones. El agua tenía a aquellas horas un color azul oscuro, y temblaba como una sustancia viva. Era una noche muy clara, y la luna se dibujaba en el cielo desleído como un disco perfecto. Su luz daba a las cosas una cualidad irreal. Las hamacas, ordenadas en dos largas filas a ambos lados de la piscina, parecían flotar en esa luz. Entonces vimos a Serafín Parra. Estaba sentado en una de las hamacas y permanecía inclinado hacia delante con los codos apoyados en las rodillas y la cabeza entre las manos.

—Es el Centella —dijo Alberto, mientras me empujaba para que nos acercáramos a él.

Serafín no reparó en nosotros. Tenía las ropas completamente empapadas y había un charco a sus pies, como si acabara de salir del agua dejando por el suelo a su paso el rastro brillante y húmedo de las criaturas anfibias. Entonces empezó a hablar. Estábamos demasiado lejos y no le entendíamos bien. Descubrimos que se trataba de una lengua extranjera. Hablaba mirándose las grandes manos, que mantenía con los puños cerrados delante de su rostro. De vez en cuando, incluso, se incorporaba y lanzaba los puños hacia delante, midiéndose con un rival invisible. Apenas lograba mantenerse en pie. Volvió a sentarse y, dejando caer las manos a ambos lados del cuerpo, permaneció con la mirada perdida en un lugar que sólo parecía existir en su fantasía. Se le veía completamente agotado.

Alberto se había acercado a él y le puso la mano en el hombro.

—Serafín —le preguntó—, ¿estás bien?

Serafín Parra levantó la mirada pero no lo reconoció. Luego volvió a situar la cabeza entre las manos y continuó con aquella jerga ensimismada, ahora más lenta, más concentrada y reflexiva. Sus palabras tenían una melodiosa modulación y hablaba con fluidez y un extraño dominio, como si estuviera recitando un papel aprendido largo tiempo atrás. El papel de una obra de teatro o de un guión de cine que hubiera repetido decenas de veces en los escenarios, y cuya interpretación aún le siguiera afectando.

—¿Qué dice? —le pregunté a Alberto.

—Ni idea —me respondió. Y enseguida, añadió—: Creo que es inglés.

Hay que decir que en aquellos años el inglés era un idioma poco conocido en nuestro país. En el bachillerato se estudiaba francés, las películas siempre se veían dobladas y la música que se escuchaba en la calle se nutría básicamente de canciones francesas e italianas. De forma que el inglés era un idioma que apenas había empezado a introducirse en nuestra vida cotidiana y cuya fonética era casi tan desconocida para nosotros como la del más exótico de los idiomas. Pero a Alberto le bastó con afirmar que aquella lengua era inglés para que inmediatamente nos sintiéramos embargados por una emoción que nos retrotraía a los años que Serafín había estado en Hollywood, a su vida junto a la hermosa actriz, y a aquel tiempo de lujo y misteriosos placeres del que nosotros sólo teníamos una imagen huidiza gracias a las películas que veíamos en las sesiones continuas del cine Capitol o del teatro Pradera, los miércoles y los sábados por la tarde. No sé cuánto tiempo permanecimos escuchándole, fascinados por el ritmo hipnótico de aquella lengua tan hermosa como incomprensible que Serafín Parra parecía dominar mejor que la propia. Pero no fue mucho, pues, completamente agotado, terminó tumbándose en la hamaca y se quedó dormido.

—Serafín, ¿estás bien? —le preguntó Alberto, mientras le

sacudía por el hombro para despertarle. No podíamos dejarle allí. Muy pronto empezaría a refrescar y tenía que quitarse toda aquella ropa si no quería coger una pulmonía.

Empezamos a escuchar la algarabía que anunciaba el principio inminente de la velada de boxeo. Ardíamos en deseos de correr a ver los combates, pero no podíamos dejar a Serafín Parra en aquel lamentable estado. Convinimos que lo mejor era llamar a Nacho Castro, y fui yo el que se dirigió al teléfono del bar para hacerlo. Pero me respondió su mujer, que me dijo con sequedad que su marido no estaba en casa y que no sabía cuándo iba a volver. Se oía ruido de niños y carreras en la casa. Tenía tres hijos pequeños y estaba embarazada del cuarto. Yo había ido dos semanas antes a verla para llevarle un encargo de su marido y me había recibido en combinación.

—Perdona, guapo —me dijo a modo de disculpa—, pero con estas fieras a mi alrededor no tengo tiempo ni para vestirme.

Su vientre estaba muy abultado por el nuevo embarazo y sus ojos ojerosos y alucinados miraban a su alrededor con una intensidad rencorosa y febril. No pude dejar de fijarme en sus senos, que, apenas cubiertos por la tela ligera de la combinación, y debido al avanzado embarazo, tenían la textura tersa y brillante de la fruta recién lavada. Fuimos hasta la cocina y me preguntó si quería merendar. Negué con la cabeza. Iba a decir algo de Nacho pero me bastó con pronunciar su nombre para que ella me interrumpiera con decisión.

—Nacho es un hijo puta.

Nunca había oído a una mujer usar aquellas palabras y me callé acobardado.

—Bueno, tengo que irme —le dije después de unos minutos que se me hicieron interminables, y me acompañó a la puerta.

Tendí la mano para despedirme y ella me plantó un beso en la mejilla; sus labios ardían como si tuviese fiebre. Todos los niños estaban a su alrededor. Me miraban con los ojos fijos y brillantes de esos polluelos que enloquecen de hambre en los nidos.

Me bastó con escuchar su voz por teléfono para revivir toda la escena. Me di cuenta de que vivía instalada en un mundo de reproches y resentimientos en el que, por alguna razón que no comprendía, también me incluía a mí.

—Tú eres el que vino a casa el otro día, ¿verdad?

—Sí —le contesté.

Sentía su respiración acechante y deseaba colgar el teléfono, pero no me atrevía a hacerlo. Permanecimos un buen rato en silencio.

—Bueno, tengo que colgar —murmuré por fin, y colgué.

No era cierto, como nos decían en el colegio, que las familias fueran los recintos de la felicidad. No, al menos, las que conocía yo. Todas rebosaban dolor.

Al volverme, me fijé en el agua de la piscina. Pensaba en Beatriz, en Marta Serrano y en las hermanas Zulueta, chapoteando en ella como peces en las corrientes, ajenas a esa vida oculta que acechaba a sus espaldas esperando el momento de intervenir.

Regresé a donde estaba Alberto. Serafín continuaba dormido. Parecía más delgado. Debajo de la hamaca se había formado un gran charco de agua. Una brisa húmeda, con olor a limo, venía de la orilla del río.

—Nacho no está en casa —le dije a Alberto—, y su mujer no tiene ni idea de cuándo va a volver.

Alberto tenía los ojos fijos en Serafín Parra, atento a la menor manifestación de vida consciente.

—No podemos dejarlo así —murmuró, y empezó a desabotonarle la camisa—. Ayúdame, tenemos que quitarle esta ropa.

Le quitamos la camisa, y luego los pantalones y los calzoncillos. Serafín estaba muy delgado, pero aun así nos costó mucho desnudarle, pues, a pesar de estar dormido, se mantenía en un estado de gran tensión corporal. Parecía mentira que sólo unos años atrás hubiera peleado en un ring y ganado combates y títulos. Al quitarle los pantalones y los calzoncillos, no pude dejar de fijarme en su sexo, flácido y oscuro, como un animal enfermo. Nuestro amigo guardaba en el cuartucho del bar ropa vieja para hacer sus tareas, y Alberto fue por ella y logramos ponérsela. Una salva de aplausos nos anunció que la velada de boxeo acababa de empezar en las piscinas deportivas. No podíamos hacer mucho más, y decidimos ir a ver los primeros combates. Dejaríamos descansar a Serafín, y luego regresaríamos para llevarle a su casa.

Fue una velada extraordinaria. Peleaba un chico de Salamanca llamado Vallecillo, que en pocos meses había conseguido una gran fama entre los aficionados al boxeo *amateur*, una fama que no le duraría mucho. Como tantos de aquellos boxeadores, enseguida desaparecería sin dejar rastro, pues lo difícil en aquel deporte no era conseguir algún triunfo, sino mantenerse. «Hay que aprender a sufrir», solía decirnos Mateo Primero en los entrenamientos. Vallecillo no era así. Subía al ring para jugar, para divertirse. Bailaba alrededor de sus rivales y era leve y flexible como los carrizos y los juncos del río. A nosotros nos entusiasmaba, pero Mateo Primero movía la cabeza negando. «No hará nada. Ese chaval tiene alma de bailarín. —Y enseguida añadía—: ¿O acordáis de Lázaro? Se pasó tres jodidos días en el sepulcro, hasta que Jesús le resucitó. Pues eso es el boxeo, luchar para no tener que volver.»

De Mateo Primero se decía en el barrio que su mujer le había dejado plantado a los pocos meses de la boda. Le doblaba la edad y ella se había ido con el encargado de un local de billares que había junto a la catedral. Fue entonces cuando Mateo Primero abrió aquel gimnasio, en el que entrenaba al salir de su trabajo de cajero en un banco. Conocía a Paulino Uzcudun, ex campeón europeo de los grandes pesos, y puso al gimnasio su nombre. Paulino Uzcudun, el hombre que más gloria había proporcionado al boxeo español, se acercaba por allí con frecuencia para asistir a los entrenamientos o a alguna de las veladas que se organizaban. Mateo Primero era un hombre muy respetado en los círculos boxísticos y, a pesar de la modestia de sus planteamientos, su gimnasio empezó a ser conocido por toda España. En la pequeña oficina tenía recortes de prensa, y muchas veces nos pedía que fuéramos a buscarlos, en especial aquellos que aludían a las visitas de Paulino Uzcudun a nuestra ciudad.

«Daniel —me decía—, tú que eres estudiante, lee a estos brutos lo que dice el campeón.»

Uzcudun no tenía pelos en la lengua. Afirmaba que los boxeadores de entonces no se podían comparar con los de su época, ya que les faltaba amor propio y corazón, algo esencial para pelear. Estaba convencido de que ni Sonny Liston ni Floyd Patterson le habrían durado más de tres asaltos y aseguraba que en Norteamérica el boxeo estaba en manos de los gángsters y que a él le habían drogado para que perdiera. Allí, en los combates, solían concederte dos hombres para que te atendieran, y mientras tu entrenador hablaba contigo o te daba masajes en los brazos, les era muy fácil contaminar el agua que luego te daban a beber. En un combate contra Primo Carnera se había despertado a las cuatro de la madrugada, y no precisamente a consecuencia de los golpes que pudiera haber recibido. Pero lo esencial era boxear con corazón; si era así y habías entrenado duro, ante *sparrings* de tu tamaño, el combate suponía un descanso. En aquellas fotos Uzcudun no parecía un bruto, sino un hombre amigable y tranquilo, encantado con su suerte. Sí, eso parecía estar diciendo, que más valía no mirar atrás.

Vallecillo venció sin problemas esa noche y todos le aplaudimos a rabiar, mientras él corría de un lado a otro del ring levantando los brazos para saludar, especialmente a las mujeres, que se daban palmadas en los muslos y gritaban como conejos. Vimos los dos combates siguientes, y cuando nos acordamos de

Serafín Parra habían pasado cerca de dos horas. Regresamos corriendo a las piscinas Samoa, pero Serafín se había ido. Lo estuvimos buscando, primero por los vestuarios y el bar y luego por el exterior, siguiendo la orilla del río, en dirección al puente. Se había levantado un fuerte viento y los árboles se agitaban oscuramente sobre nuestras cabezas, haciendo que el ruido de sus hojas recordara al de unas monedas chocando. Al salvar el desnivel que llevaba al paseo de las Moreras, que era donde se ponían las barracas de feria cuando llegaba septiembre, vimos a lo lejos la silueta inconfundible de nuestro amigo. Acababa de cruzar la carretera y caminaba en dirección al seminario. A la luz de las farolas, su cuerpo extremadamente delgado parecía a punto de quebrarse, como el de un hombre al que hubieran disparado y continuara andando. Mateo Primero tenía razón, era como Lázaro. No estaba claro que aquello de resucitarle hubiera sido una buena idea. Se despedía del mundo de los vivos y regresaba a la oscuridad de la tumba para descansar de sus pensamientos.

2

Después de su monumental borrachera, estuvimos dos días sin ver a Serafín y, cuando por fin se presentó en las piscinas, Nacho Castro le dijo que no quería volver a verlo por allí. No hubo forma de interceder por él. Nuestro jefe decía que Serafín era un caso perdido y que era inútil tratar de ayudar a alguien que sólo deseaba autodestruirse. Lo único que te podía pasar era que te vieras arrastrado al fondo del pantano con él.

Alberto y yo seguimos viéndole en el gimnasio Uzcudun, adonde íbamos cada día a entrenar. La última parada de Serafín antes de regresar a su casa era aquel gimnasio, donde, llevado por la nostalgia de tiempos mejores, acudía para ver entrenar a los chicos. Los ejercicios consistían en agotadoras tablas de gimnasia, saltos a la comba y carreras de calentamiento. También hacíamos sombra, que era imaginarte a un contrario y hacer como que peleabas con él. Los principiantes no llegábamos a subir al ring, ni siquiera a ponernos los guantes, hasta que llevábamos un mínimo de dos meses entrenando. Los guantes olían a vaselina mentolada y Alberto y yo veíamos a los veteranos vendarse las manos antes de ponérselos, imaginando el momento en que por fin nosotros podríamos hacer lo mismo. Serafín llegaba al gimnasio a última hora, después de haber hecho su recorrido habitual por los bares de los alrededores. Lo hacía, como es lógico, bastante tocado por el alcohol y apenas pronunciaba palabra. Se sentaba en una esquina y seguía los entrenamientos con los ojos fijos en los chavales; sobre todo en los que se entrenaban con el saco, que estaba relleno de arena, borra y trapos, y en los que subían al ring para hacer guantes. Allí no se trataba de pegar, sino de marcar los golpes. Mateo Primero vigilaba cada uno de los movimientos, y aunque no hablaba mucho, de vez en cuando hacía comentarios en los que estaba implícita su filosofía del boxeo. Se basaba en dos principios: que el boxeo no consistía en que dieras más golpes, sino en que no te los dieran a ti, y que los combates se decidían con las piernas y los puños, pero sobre todo con la cabeza. Serafín Parra nos observaba un rato, y se iba discretamente a seguir su ronda por los bares. Una vez se quedó dormido allí mismo y los chicos se empezaron a reír. Mateo Primero se enfadó mucho y les dijo que en aquel gimnasio nadie se reía de un boxeador, por muy acabado que éste pudiera parecer. Serafín se despertó y abandonó tambaleante el gimnasio en medio de un silencio impresionante, y Mateo Primero nos dijo que había sido un gran profesional, el más grande que había dado aquella ciudad, y que teníamos que aprender a respetarle en su derrota. Su problema fue lo que él llamaba la tercera fuerza. Es decir, todas esas personas ajenas al deporte que querían lucrarse o aprovecharse de él para sus propios fines. Sin ellas, el boxeo no sólo sería un deporte puro, sino mucho menos peligroso de lo que pensaba la mayoría de la gente.

Una de aquellas tardes Serafín nos estaba esperando al salir del gimnasio y quiso que fuéramos a tomar algo con él, pues quería agradecernos lo que habíamos hecho la noche en que se había caído a la piscina. Recorrimos una calle y llegamos al bar de una pequeña plaza salpicada de arbustos de tejos y de grandes acacias de bola. Los colores rojo de los frutos y verde de las hojas se habían intensificado al aproximarse la puesta de sol y las ramas de las acacias se movían protectoramente sobre nuestras cabezas, creando un pequeño techo lleno de rumores.

El dueño se llamaba Esteban. Tenía la cara muy alargada, y sus ojos eran vivos pero tranquilos. Su rostro reflejaba serenidad y esa vieja sabiduría propia de los grandes consejeros de la humanidad.

—Esteban —dijo Serafín, con un airoso movimiento del brazo, como si estuviera espantando moscas—, danos algo de beber.

Serafín pidió una copa de ponche y Alberto y yo sendas Coca-Colas.

El bar se llamaba Los Lagartos, y entre las botellas había una fotografía enmarcada en la que se veía a Esteban con el torso y los brazos desnudos llenos de lagartos. Parecían tatuajes. Había estado destinado en Sidi Ifni, y allí, a las puertas del desierto, había tantos lagartos como aquí gorriones o tórtolas. Eran muy mansos y la gente los cogía para comérselos.

Serafín se puso a contarnos uno de sus primeros combates. Su rival había sido un tal Quintero y le tenía arrinconado contra las cuerdas, cuando la mano empezó a dolerle terriblemente. Supo que se había roto el pulgar y, aunque trató de aguantar, el dolor era tan intenso que tuvo que retirarse en el último asalto. La gente no sabía por qué lo había hecho y empezaron a meterse con él, acusándole de haber vendido el combate.

—Creo —murmuró Serafín, mientras sus manos se contraían sobre el mostrador— que es el combate que más me ha dolido perder.

—¿Y el primero? —le interrumpió Alberto—, ¿te acuerdas de cómo fue?

Serafín sonrió levemente, y después de mirar a un lado y a otro, como si temiera ser escuchado, continuó:

—La primera vez no te enteras de gran cosa. Oyes la campana y cuando empieza la pelea, a pesar de los gritos de la gente, todo está en silencio y sólo ves la luz de los focos. Se boxea para escapar de esa luz…

Serafín a veces hablaba así, como si lo que dijera lo acabara de leer en un libro. Un chico estaba jugando a una máquina del millón que había junto al mostrador. Tenía una cara ancha y triste, colocada en precario equilibrio sobre el cuello blanco de la camisa.

—¡Me cago en Dios! —exclamó.

Era muy torpe. Las bolas golpeaban contra los laterales produciendo un enorme estruendo y, antes de que pudiera reaccionar, las había perdido. Tenía que echar una moneda tras otra, lo que hacía que cada vez estuviera más irritado. Sus amigos lo miraban desde la calle, a través del cristal. Uno de ellos llevaba unas grandes gafas marrones que aumentaban el tamaño del blanco de sus ojos. Se asomó un momento a la puerta.

—¡Vamos, hostias —le gritó—, nos están esperando!

El otro compañero ya se había ido, y después de decir aquello el de las gafas echó a correr detrás de él.

El muchacho de la máquina se quedó dudando unos momentos y luego decidió irse con ellos. Ya en la puerta de la calle todavía se volvió para mirar a la máquina, como si le atribuyera una vida y unas intenciones ocultas, de las que se sentía inexplicablemente excluido.

El bar se quedó en silencio, pues en esos instantes nosotros éramos sus únicos clientes. Alberto se acercó a la máquina del millón y la estuvo contemplando con detenimiento, como tratando de entender la razón por la que el muchacho se aplicaba en el juego de aquella forma. Luego regresó con nosotros y dijo:

—Oye, Centella, háblanos de Hollywood.

Los ojos de Serafín se agrandaron al escuchar aquel nombre, como si no pudiera ocultar su satisfacción. La satisfacción que produce hablar de las cosas que quieres.

—Aquello no se parece en nada a esta asquerosa ciudad —dijo, mirando decepcionado a su alrededor.

Había entrado un nuevo cliente y Esteban le estaba preparando un café. Si cerrabas los ojos, el sonido de la expulsión del vapor recordaba al de las locomotoras. Parecía que estábamos en el vagón de un tren, y que dentro de un momento veríamos deslizarse a nuestro lado las ventanas de las casas, los árboles y la farolas que había en la calle.

—¿Sabes cómo llaman los americanos a Hollywood? —añadió, haciendo que sus enormes dedos tamborilearan sobre la superficie del mostrador—. La fábrica de los sueños…

Volvimos a quedarnos en silencio. A esas alturas Serafín Parra ya había vaciado dos o tres veces la copa de ponche y empezaba a hablar con una voz pastosa apenas inteligible. Junto a la cafetera había un pequeño cuadro con un paisaje. Era un refugio de montaña. Se veía una casa, con un gran árbol al lado, y al fondo una enorme mole de piedra, que cubría todo el horizonte. Era extraño aquel cuadro, pues mientras el paisaje estaba lleno de luz, la casa permanecía en la sombra, con las ventanas completamente negras, como si fuera un recinto de oscuridad.

Alberto trató de reconducir la conversación.

—¿Es cierto lo que cuentan de Bela Lugosi?

Habíamos leído en una revista de cine que aquel actor se había obsesionado tanto con la figura del vampiro que él mismo había interpretado en la pantalla que en los últimos años de su vida mandó llevar a su casa un ataúd en el que solía dormir.

—Sí —contestó Serafín—, dormía en un ataúd. Toda la gente del cine termina mal de la cabeza. En Hollywood todo lo que sueñan de noche lo creen real por la mañana.

Había adoptado un tono de extrema gravedad, como si alguien le estuviera apuntando con una pistola y en cualquier momento pudiera disparar. Alberto y yo lo escuchábamos hipnotizados.

—Serafín —dijo Esteban, interrumpiéndole—, no bebas más.

Pero Serafín, después de apurar su copa de un trago, volvió a pedirle que se la llenara.

—Bebiendo así —insistió Esteban, llenando la copa—, sólo conseguirás matarte.

Sus palabras sonaron como si arrastrara sobre el mostrador un saco de piedras. La zona del mostrador se comunicaba con la cocina por una pequeña puerta que había junto a la cafetera, y Esteban desapareció por ella. Al abrir la puerta se percibió el olor de la grasa friéndose.

—A ver, coño, ¿qué pasa con esa ensaladilla? —se le oyó decir.

Alberto y yo nos miramos y tuvimos que apretar los labios para no reírnos. Serafín había cogido el periódico y estaba doblando sus páginas, corriendo el dedo por las líneas.

—Fijaos —dijo—, han asaltado un tren en Inglaterra. Parece que el botín supera los dos millones de libras.

Serafín empezó a leer:

—«Quince hombres armados con barras de hierro atracan el tren Londres-Glasgow a sesenta y cinco kilómetros al oeste de Londres, cerca de Cheddington. Los bancos, la policía y las aseguradoras ofrecen recompensas de doscientas sesenta mil libras al que proporcione alguna información».

Nadie había resultado herido. El robo estaba planeado hasta el menor detalle y había transcurrido sin imprevistos. Colocaron una lámpara roja como señal de peligro, y cuando el tren se detuvo, todo se desarrolló en apenas un cuarto de hora. La acción —reducir al maquinista y a los cuatro funcionarios de correos del vagón precintado con los objetos valiosos, desenganchar ese vagón del resto y descargar las sacas postales en un puente— se llevó a cabo con tanto sigilo que los empleados de la parte trasera del tren no se enteraron hasta veinte minutos después.

—¿Te imaginas lo que tiene que ser? —dije—. Dos millones de libras… ¿Cuánto es eso en pesetas?

Alberto se quedó dubitativo un instante, mientras Serafín no se perdía detalle de nuestra conversación.

—Creo que la libra está más o menos a ciento setenta pesetas —dijo Alberto—. Es decir, trescientos cincuenta millones. Una verdadera fortuna.

—¿Te imaginas, Serafín? —añadí—. Seríamos ricos.

Serafín se dejo caer sobre el mostrador, mirando hacia delante como si estuviera recordando un tiempo mejor.

—Los pillarán —dijo Serafín—. Esas cosas nunca salen bien.

Nos quedamos callados. Después de todo, Serafín tenía razón y no tenía que ser nada agradable estar en el pellejo de uno de los asaltantes de aquel tren. A partir de ese momento, su vida sería un infierno. No podría estar tranquilo ni un solo minuto, y bastaría con que alguien llamara a su puerta para que pensara que le habían descubierto y que venían a detenerle. Además, tarde o temprano, siempre terminaba por ser así. El dinero volvía locos a los hombres y les hacía cometer todo tipo de errores o caer en el pecado de la traición.

—Cuando estuve en Hollywood —dijo Serafín, levantando sus manos y dejándolas caer sobre el mostrador—, llegué a actuar en una película.

Sus ojos estaban tan nublados por la bebida y la edad que parecían colgar detrás de telarañas.

Alberto y yo nos quedamos en silencio. Sabíamos que Serafín necesitaba tomarse su tiempo para contar las cosas. No servía de nada acosarle con preguntas.

—Era una película —continuó unos minutos después— en la que una especie de hombre pez se enamora de una muchacha y la sigue a todas partes. El actor al que encargaron hacer ese papel se llamaba Rico Browning. Era un gran nadador, pero debido a su baja estatura se dieron cuenta de que necesitaban a otra persona para que hiciera las tomas en que el monstruo estaba en tierra. Y ése fui yo.

—La hostia, Centella —dijo Alberto—, tuvo que ser emocionante.

—Me hicieron un traje a medida, y no podía adelgazar o engordar un gramo durante todo el rodaje. Un traje similar a una segunda piel. El traje llevaba plomo en las suelas y me impedía sentarme, lo que me obligaba a permanecer hasta doce horas de pie, soportando un calor asfixiante que solamente aliviaba con mangueras. Pero el rodaje no se llegó a terminar.

—¿Qué pasó? —le preguntó Alberto, vivamente interesado por el relato.

—La película se titulaba *El legado de la doctora Humboldt,* y su protagonista era Frances Dee, la actriz que me llevó a Hollywood —dijo Serafín, mientras volvía a apurar su copa de ponche.

Pronunció aquel nombre con esa formidable habilidad de los que aman para rescatar de la muerte lo más querido.

—Fue ella la que convenció al director de que me contratara.

Alberto y yo éramos unos apasionados del cine, y no sólo veíamos las películas sino que coleccionábamos los programas que se daban al entrar. Nos sabíamos de memoria todos los nombres de los actores y de las actrices que intervenían en ellas.

Serafín Parra nos contó que Frances Dee había sido elegida para intervenir en *Lo que el viento se llevó*, pero que en el último momento el productor cambió de idea por el temor a que su belleza pudiera eclipsar a la protagonista de la película. Ésa había sido su gran oportunidad perdida, y desde entonces su nombre sólo quedó asociado a películas de serie B y otros proyectos menores, hasta que, entrados los años cincuenta, se casó y se alejó del cine para siempre para dedicarse a sus hijos y a las tierras que su marido poseía en California.

—Era una gran actriz, pero Hollywood estaba podrido.

La idea de *El legado de la doctora Humboldt* se basaba en una noticia aparecida en la prensa acerca de una leyenda de los nativos del Amazonas, que hablaba de una raza de criaturas capaces de vivir tanto dentro como fuera del agua. Un autor norteamericano se había interesado por la historia y escribió un relato en el que una expedición de científicos se adentraba en la selva amazónica, esperando encontrar el eslabón de la creación: un ser bípedo, un celacanto, de estatura y aspecto humanos, pero con escamas en lugar de piel y agallas como orejas. En ese relato se contaba cómo ningún miembro de dicha expedición volvió nunca, y cuando fueron en su búsqueda solamente encontraron una cámara de fotos. Una vez reveladas las fotografías, en una de ellas vieron a una criatura de más de dos metros de altura, amenazadora, pero con una piel que recordaba a un pez. Este asombroso cuento llegó a oídos de un conocido productor durante una cena con otros personajes del cine, y se interesó inmediatamente por él. El resultado fue aquella película maldita que no se llegaría a terminar. En aquellos tiempos Hollywood se regía por un código moral muy estricto y el productor pensó, al ver las primeras escenas rodadas, que la película podía ser su ruina. Entonces puso el proyecto en manos de otro director, que finalmente, y tras la reescritura completa del guión, creó *La mujer y el monstruo*, un auténtico éxito de taquilla. Pero en esa película ya no intervenía Frances Dee, sino Julia Adams, una conocida actriz que aparecía todo el tiempo en traje de baño y que había ganado un premio por tener las piernas más simétricas del mundo.

—En Hollywood —murmuró Serafín Parra, con un tono melancólico— lo único que manda es el dinero.

Se llevó las manos a la cabeza, mientras su rostro se contraía en una expresión de dolor.

—¿Estás bien? —le pregunté.

—La cabeza —murmuró—. Me pasa a menudo, son como trozos de cristal que no logro quitarme.

Permanecimos así un rato, sin saber qué hacer, hasta que el rostro de Serafín volvió a relajarse un poco.

Se había hecho de noche, y un gajo de luna, tan frágil como una cáscara de huevo, acababa de aparecer detrás de las nubes, con su brillante borde plateado. Serafín apenas se sostenía sobre la banqueta; era como un hombre azotado por una gran fuerza.

—Creo que deberíamos irnos —le dijo Alberto, poniendo la mano sobre su hombro—, necesitas descansar.

Serafín parecía ausente.

—No somos dueños de nuestra propia luz —murmuró, con

un tono lento y monótono, como si estuviera recitando el fragmento de uno de los guiones que había escuchado.

Alberto me hizo un gesto con la barbilla y le animamos a levantarse. Salimos los tres juntos.

—Le puse la cara como un adobe —murmuró Serafín.

No parecía darse cuenta de lo que decía, ni dónde se encontraba.

—¿A quién? —le preguntamos.

—A Quintero. Volvimos a pelear unos meses después y le pegué hasta hartarme. Era extraño ese Quintero. Peleaba como un monje, como si no le importara sufrir.

Su casa no estaba muy lejos y nos ofrecimos a acompañarle. Nos dirigimos hacia la fábrica de cerámica, cuya larga chimenea de ladrillos se elevaba con el aire irreal de los decorados. Luego cruzamos las vías del tren. La casa de Serafín estaba en una calle llena de árboles, cuyas ramas anaranjadas colgaban a la altura de las escasas farolas. Nuestras sombras delgadas se proyectaban sobre las casas y se movían lentamente, subiendo o bajando según nos acercáramos o nos alejáramos de la pared. Al llegar a su portal hicimos ademán de querer acompañarle, pero no nos lo permitió.

—¿De verdad estás bien? —le preguntó Alberto.

Serafín se volvió para mirarnos. Su rostro volvía a ser el rostro afable y cansado que veíamos cada día en la piscina y en el gimnasio.

—Esos boxeadores de hoy —murmuró, con una sonrisa triste— no me durarían ni el primer asalto.

Y, dándonos la espalda, desapareció tambaleante en la oscuridad del portal. La escalera era un delgado desgarrón negro en medio de la casa. Alberto y yo oímos sus pasos en los peldaños, que parecían volverse más negros y pronunciados a medida que los subía, y, poco después, el ruido de una puerta al cerrarse. Regresamos en silencio. Hacía calor y muchas ventanas estaban abiertas. A través de ellas se oía el murmullo de las conversaciones familiares, probablemente mientras la gente se disponía a cenar. Pensé en Serafín, que en esos momentos estaría tumbado en su cama sin ni siquiera haberse desvestido.

—Vaya historia, ¿no? —murmuró Alberto.

—¿Cuál?

—La del monstruo. ¿Tú crees que es cierta?

—No lo sé —le contesté.

Alberto nunca quedaba satisfecho. Concebía el mundo en términos morales, y siempre esperaba obtener una enseñanza, una lección que no tuviera que olvidar. Una lección que le ayudara a entenderse a sí mismo y lo que sucedía.

—¿Qué piensas que quería decir? —insistió Alberto.

—¿Cuándo?

—Cuando dijo lo de la luz, que no somos dueños de nuestra propia luz.

—Serafín no está bien —le contesté.

—¿A qué te refieres?

—Tiene algo en el cerebro. Me lo ha dicho Nacho Castro. Un coágulo. Si sigue con esa vida se matará.

Unos días antes, en las piscinas, había presenciado una escena que me impresionó. Había ido a llevar el dinero de la recaudación, lo que hacía al menos dos veces al día, ya que a Nacho Castro no le gustaba que aquel dinero permaneciera en la taquilla más tiempo de la cuenta, y, al entrar en la oficina, me encontré a Serafín sentado en el suelo. Nacho Castro le estaba hablando a gritos. Parecía completamente sonado.

—¿Qué coño te pasa?

Pero Serafín se limitaba a mover la cabeza de un lado para otro con los ojos extraordinariamente abiertos.

—Estás aquí, ¿me oyes? —le decía Nacho Castro, sacudiéndole por el hombro—. En las piscinas Samoa.

—Mala gente que me odia —acertó a murmurar Serafín—; son como abejas picándome.

Miraba hacia delante como si no viera nada.

Nacho Castro le ayudó a tumbarse en el suelo, donde se quedó dormido como un niño. Me pidió que le acercara un cojín y después de colocar en él la cabeza de Serafín me hizo gestos para que saliéramos al exterior.

—Lo dejaremos dormir un rato —me dijo.

La oficina estaba situada en un primer piso, al que se accedía por unas escaleras exteriores. El sol hacia brillar el agua de la piscina y los cuerpos mojados de los bañistas, cuyos gritos sonaban lejanos e irreales. Al fondo, se veían los árboles de la vereda del río, meciéndose sobre la tapia blanca como una colonia de algas. Nos sentamos en las escaleras y Nacho me ofreció un cigarrillo. Me contó que Serafín había entrado en la oficina a llevarle el café de cada mañana y que de pronto había empezado a trastabillar y a decir incoherencias.

—Tiene un coágulo en el cerebro —añadió.

Le había llevado al hospital un mes antes y se lo habían detectado en una de las pruebas. Probablemente se trataba de una lesión antigua, de sus tiempos de boxeador. No era operable, pues el coágulo estaba en una zona inaccesible y en cualquier momento se podía desprender y provocarle la muerte.

—¿Tan grave es? —me preguntó Alberto, que había escuchado mi relato sin parpadear.

—Sí, eso parece —le dije.

Seguimos andando. Alberto estaba muy impresionado, pues le obsesionaban las enfermedades. Su madre había muerto cuando él era muy pequeño, y desde entonces la sombra de la enfermedad y la muerte planeaba sobre él como un pájaro de mal agüero.

Había unos cuantos coches aparcados junto a las aceras y de vez en cuando nos cruzábamos con algún paseante. El aire estaba inmóvil y el calor era tan intenso que apenas podíamos respirar.

—Este calor terminará por matarnos.

—Sí, es extraño, no corre ni la menor brisa. Parece el fin del mundo.

Un gato gris estaba detenido junto a un cubo de basura. Estaba tan aturdido que cuando pasamos a su lado se limitó a mirarnos sin hacer ademán de escapar. Aquella noche quedaban aplazadas todas las querellas.

—¿Y qué más te dijo? —me preguntó Alberto.

Se refería a Nacho Castro, y a la conversación que habíamos tenido en las escaleras de la oficina.

—Que conocía a Serafín desde que siendo niño le había visto boxear. Tenía un corazón de oro, pero el alcohol había acabado con él.

—¿Y de su aventura en Hollywood?

—También hablamos de ella. Le pregunté qué había de cierto en las cosas que contaba Serafín, y me dijo que no lo sabía.

Oímos el sonido de una ambulancia. Habíamos llegado inesperadamente a la plaza Circular y la ambulancia se deslizó bajo los robustos plátanos con la sirena encendida. Varios vecinos se asomaron a los balcones, atraídos por su sonido. El espectáculo de la muerte siempre provoca la curiosidad de la gente.

Salimos luego a una calle luminosa. Todos los escaparates estaban encendidos y su luz se derramaba como cera líquida sobre el pavimento. Más allá, vimos la silueta de la chimenea de la fábrica de cerámica. Sus ladrillos rojos parecían tener una consistencia orgánica por efecto del calor.

—¿Has visto a Eva? —le pregunté, dando un giro inesperado a la conversación.

Sus ojos brillaron como pequeñas ascuas.

—No, esta tarde no —dijo Alberto.

El día anterior Eva se había subido al tejado del bar para recuperar un balón.

Nacho empezó a llamarnos a gritos.

—Alberto, Daniel, pero ¿qué hace esa criatura ahí arriba?

Era una pregunta difícil de contestar pues aquel tejado, de pronunciadas vertientes, era realmente peligroso. Se accedía a él por unas horquillas metálicas que estaban sujetas a la pared. No llegamos a subir en su busca, pues cuando quisimos reaccionar ya estaba bajando con el balón. Eva se acercó a uno de los niños y se lo entregó. No, no era cierto, como había dicho Serafín, que no fuéramos dueños de nuestra propia luz.

No sé si he dicho que Eva era una superdotada. Tenía una memoria prodigiosa, que le permitía retener los datos más insólitos, especialmente de las materias científicas, y, sobre todo, unas aptitudes prodigiosas para las matemáticas. Empezamos a descubrirlo con las cuentas del bar. No sólo porque fuera capaz de saber al momento lo que había que cobrar, por más que los pedidos hubieran sido numerosos y diversos, sino porque conservaba en su memoria el número exacto de todo lo que se había vendido, de forma que cuando a última hora Nacho Castro llegaba para anotar lo que tenía que reponer, ella era capaz de decírselo sin tener que mirar el frigorífico o contar las botellas vacías.

—Sesenta y siete Coca-Colas, cincuenta y cinco Cruz Blancas y cuarenta y siete refrescos, veintitrés de naranja y veinticuatro de limón.

—Yo no lo veré —solía decirnos Nacho moviendo tristemente la cabeza a uno y otro lado—, pero el mundo que viene es de las mujeres.

El calor era intenso y en la piscina nadie se movía, como si hubieran echado un gas paralizador. Una niña se acercó a comprar un polo. Llevaba un chicle en la boca y lo masticaba lentamente, como si estuviera siguiendo una melodía. Eva fue a atenderla, pero enseguida regresó a nuestro lado. Poco antes habíamos estado hablando de la película que Serafín Parra había hecho en Hollywood, junto a su adorada Frances Dee.

—¿La habéis visto?

—No, en España nunca se llegó a estrenar. Pero Serafín tiene el cartel y fotos del rodaje. Una tarde fuimos a su casa y las estuvimos viendo.

Esto Alberto se lo estaba inventando, y sus ojos buscaron ansiosamente los míos para advertirme de que no se me ocurriera abrir la boca.

—Vamos a menudo a verle. Su casa es como un museo.

Eva se estiró perezosa sobre el mostrador. Parecía una gata. Llevaba un vestido muy ligero y unas playeras blancas. Estaba en esa edad en que te crees que puedes hacer vivir para siempre todo lo que eliges amar.

—¿Y de qué trata? —preguntó.

Eva se había acodado en el mostrador, con la cara asomando entre los antebrazos desnudos como entre dos esbeltas botellas.

—Trata de un monstruo —contestó Alberto—, una especie de hombre pez que un científico ha capturado en el Amazonas y que, a su muerte, su mujer sigue manteniendo vivo en una extraña piscina que se extiende por el jardín y el interior de la casa. Pero pasan los años y esta mujer se hace vieja y busca a una joven enfermera para que la cuide.

Alberto hizo una pausa, y estuvo contemplando el interés que la historia producía en Eva, que le escuchaba con los ojos abiertos.

—Sigue… —le dijo.

—Bueno, la enfermera se encuentra a aquella señora moribunda y empieza a atenderla. Pero muy pronto se da cuenta de que todo es muy raro en aquel lugar. Por ejemplo, está aquel misterioso estanque, con la torre en el centro y los canales que conducen el agua por el jardín y los cuartos de la casa hasta el dormitorio de la anciana, que sólo sale de allí en una silla de ruedas. Una criada se acerca con enormes fuentes de naranjas y ella se entretiene arrojándolas al agua.

Alberto se detuvo un momento. Se oía el sonido de un balón y los gritos que daban los niños al pasárselo. Muy cerca de nosotros, una anciana había desplegado un pequeño mantel y echaba azúcar en el melón de su nieta. Sus vasos de agua dejaban pequeños cercos brillantes en el mantel blanco. En el cristal de la larga ventana había una polilla. La masilla se había roto y el esmalte blanco de los bastidores estaba lleno de arrugas.

Oímos voces.

—¡Alberto, Daniel…! ¿Queréis venir de una puta vez?

Era Nacho Castro que nos llamaba desde la oficina.

—Anda, vamos —le dije a Alberto, y ambos echamos a correr.

Nacho nos pidió que le devolviéramos al barquero unas herramientas que le había prestado el día anterior. Eva nos había seguido y nos estaba esperando al pie de las escaleras.

—¿Te vienes? —le dije—. Vamos al río.

—Esperadme un momento —contestó.

Volvió al cabo de un rato y los tres nos encaminamos hacia el río.

—Sigue contando —le dijo Eva a Alberto.

El embarcadero estaba muy cerca, y las barcas permanecían atadas a largos palos de madera, meciéndose en la superficie del agua, leves como cáscaras de huevo. Los altos chopos permanecían inmóviles y el agua brillaba por el sol.

—La película no se llegó a terminar y Serafín sólo recordaba algunas de las escenas. Por ejemplo, cuando la criatura visita a la enfermera y se la queda mirando mientras duerme, o cuando se ven por todas partes los fruteros llenos de naranjas, que es su alimento preferido, o cuando la enfermera descubre un viejo álbum con unas fotografías muy antiguas de una expedición por la selva. Fotografías de un barco y de un grupo de hombres blancos. Y en una de ellas se ve la luna llena sobre una laguna de aguas negras, y en el centro un bulto, algo así como una cabeza que permanece mirando desde las sombras.

—Era el monstruo que estaba en la casa, ¿verdad? —preguntó Eva.

—Sí, eso es. Y entonces se oye la voz de la doctora Humboldt, que está cantando en la biblioteca. Canta acompañándose de un piano y, cuando ve a Frances Dee en la puerta, empieza a contarle que no están solos en la casa, y que los estanques y canales que la recorren ocultan a una criatura que hace años su marido y ella descubrieron en la selva amazónica. Una criatura medio hombre medio pez a la que llevaron en secreto a Estados Unidos y con la que se habían aislado en aquel lugar para entregarse a su estudio. Y que tras la muerte de su marido era ella quien se había ocupado de cuidar, hasta el punto de dedicarle su vida entera, de lo que no se arrepentía en absoluto, pues en aquella criatura había algo único y maravilloso que nunca antes había encontrado en ningún otro ser, aunque no supiera explicar lo que era. Y Frances Dee ya no tiene prisa en marcharse, y se queda mirando los estanques y los canales mientras pasea lentamente por la orilla, haciendo que su pie toque cada poco la superficie del agua, como si estuviera llamando a la criatura que vive allí dentro porque quiere saber cómo es. Luego está acostada en su cama, a punto de dormirse, cuando escucha un ruido. Ese ruido se repite, y al incorporarse ve dos naranjas en el suelo, y el rastro de humedad que han dejado. Enseguida del fondo del agua empiezan a subir nuevas naranjas, que salen disparadas y vuelven a rodar por el cuarto. Frances Dee se levanta a recoger una de ellas y una ola muy grande la pilla de lleno, dejándola con el camisón y el pelo empapado. Y dice muy enfadada: «Eso ha estado muy mal, ¿me has oído? Pero que muy mal».

Alberto hizo una pausa porque vimos acercarse al Catarro por el río, remando en una de las barcas.

—¡Catarro! —se puso a gritar Alberto, al tiempo que se acercaba a la orilla del embarcadero agitando sus largos brazos. Eva y yo le imitamos, y también nos pusimos a gritar y a agitar los brazos.

—¡Catarro —le decíamos—, estamos aquí!

El Catarro se puso de pie en la barca, y haciendo visera con la mano nos localizó en la orilla. Su barca permanecía inmóvil en la corriente, pues había dejado de remar. Era como si diera órdenes al río. Luego volvió a sentarse y se puso a remar hacia nosotros.

—¿Qué queréis? —nos preguntó, cerca del embarcadero.

Alberto le enseñó el paquete con las herramientas.

—Son de Nacho Castro —le dijo—; nos ha pedido que te las devolvamos.

El Catarro empezó a remar hasta el embarcadero. Los patos le seguían. Había de varias clases. Parecían una pequeña tropa acompañando hasta la orilla a un rey mendigo.

El Catarro recogió el pequeño paquete y lo abrió.

—Bien, bien… —murmuró, al tiempo que escupía en el suelo. La gente decía que tenía un ojo de cristal y Alberto y yo contuvimos el aliento tratando de sorprender un brillo que lo delatara.

—Si queréis bañaros, podéis coger una barca. A estas horas nadie las alquila. Hace demasiado calor.

Eva no se lo pensó dos veces y enseguida eligió una.

—Venga, vamos —nos dijo, sentándose en el asiento de proa. Daba por supuesto que éramos nosotros los que tendríamos que remar.

Alberto y yo subimos a la barca, mientras el Catarro soltaba el cabo que la ataba al embarcadero y nos ayudaba a salir empujándola con el pie.

—No tardéis —nos dijo.

Vimos unas gaviotas de río. No solía vérselas en verano, pero ese año un grupo numeroso había establecido sus comederos y dormidas en el parque de la Rosaleda. Se alimentaban de los colectores. Era extraño verlas, porque uno pensaba en el mar. Emitieron aquellos sonidos característicos que recordaban risas.

Empezamos a remar corriente abajo. En el centro del río el

aire era más fresco y el calor menos agobiante. Las aguas bajaban densas por el barro de las últimas lluvias. Las gaviotas se habían alejado, y dejamos de oírlas.

—¿Te has fijado? —le pregunté a Eva.

Eva me miró con ojos interrogantes.

—En el Catarro —continué—. Tiene un ojo de cristal.

—No es verdad —dijo Eva, con un mohín de enfado, porque creía que le estábamos tomando el pelo.

—Alberto, díselo tú.

Eva se acababa de quitar su vestido amarillo, y se había quedado en traje de baño. Era como Frances Dee cuando se quitaba el camisón para ir a buscar a la criatura del lago.

—Es verdad —acertó a decir Aberto—. No sólo eso, sino que cuando el Catarro se mete en la cabaña para echarse la siesta, lo deja en un plato y el ojo ve todo lo que pasa a su alrededor.

Era eso lo que se decía entre los chicos que bajaban al río, que aquel ojo veía y que, cuando el hombre se echaba la siesta, lo dejaba en un plato sobre la mesa y ningún muchacho podía acercarse a revolver entre las barcas porque enseguida se daba cuenta y salía en su busca con un palo.

—Bah, bobadas —dijo Eva—, por un ojo de cristal no se puede ver.

Dijo esto haciéndose la interesante, aunque estaba claro que aquella historia del ojo de cristal la había impresionado.

—¿Cómo sigue la película? —preguntó luego Eva, que a esas alturas tenía las mejillas rojas, no se sabía si por efecto de aquel relato o del intenso sol del mediodía.

Era como si en la barca hubiera una hoguera y el reflejo de sus llamas iluminara su piel.

—Frances Dee —continuó Alberto— decide investigar por su cuenta y una tarde se sumerge en el estanque hasta dar con una gruta excavada en la roca que le lleva al interior de la torre. Y lo que ve la deja asombrada: que aquello está lleno de todo tipo de objetos y cosas absurdas: muñecas, cacerolas, herramientas, hasta una televisión. Y, en un pequeño hueco entre las piedras, descubre algo espantoso: diez o doce esqueletos de niños, que le hacen escapar muerta de miedo.

La corriente nos había arrastrado más lejos de la cuenta, por lo que Alberto y yo volvimos a coger los remos y estuvimos remando con fuerza hasta remontar gran parte del recorrido. El Catarro había desaparecido y en el embarcadero se veían las barcas flotando y chocando entre sí como el ganado.

—Y entonces la doctora le confiesa toda la verdad. Que aquella criatura tenía un mínimo de trescientos años, lo que sólo podía significar que su tiempo biológico era diferente al nuestro. No bastaba una sola vida para atenderla, y por eso, ahora que era una anciana, tenía que buscar a quien la sustituyera en esa tarea. «Y se supone que ésa soy yo», le dice Frances Dee. Y la doctora Humboldt le contesta que sí, que habían estudiado a decenas de candidatas y la elegida había sido ella. Frances Dee le pregunta horrorizada por los esqueletos y la doctora le contesta que unos años antes, en el lago, se hundió un barco de una excursión escolar y murieron más de treinta niños. No recuperaron todos los cadáveres, y varios de ellos quedaron en las profundidades del lago. Fue la criatura quien los encontró. Todo lo que le gustaba se lo llevaba a su torre, y eso hizo con los cuerpecitos de los pequeños. Sólo los quería para jugar con ellos, ya que era incapaz de hacer daño a nadie y, como todos los herbívoros, era un ser inocente que sólo se alimentaba de hojas y frutas. Y le cuenta que la expedición al Amazonas había coincidido con el auge en el mundo de las teorías de Darwin sobre la evolución de las especies. Su marido andaba buscando un ser que fuera algo así como el eslabón perdido de esa evolución. Pero que lo que encontró y se llevó consigo, aunque nunca llegara a sospecharlo, era un ser que contradecía todas esas teorías. Un ser cuya sola existencia demostraba que el paraíso había sido real.

Alberto estaba grandioso. Jamás le había visto contar una película así. Era como si aquellas palabras se las dictara alguien, como si fueran palabras venidas de otro mundo, ajenas a su voluntad. En el cielo, un reactor trazó su línea perfecta en el espacio inmensamente azul.

—Sigue, sigue —dijo Eva, dando a Alberto un pellizco en el brazo para que dejara de mirar hacia arriba y continuara con su historia.

—Y vemos cómo Frances Dee abandona la biblioteca dispuesta a irse de la mansión, y cómo la doctora Humboldt, al quedarse sola, murmura con una sonrisa: «Volverás, no puede ser de otra forma». Y entonces empieza a sonar un teléfono, mientras en un rótulo pone: OCHO MESES DESPUÉS. Estamos en un hospital y se ve a Frances Dee, muy guapa, con su uniforme blanco, inclinada sobre una de las incubadoras, donde reposa un bebé. Y otra enfermera se acerca para decirle que la llaman. «Sí, sí —le oímos decir—, soy yo. ¿La doctora Humboldt? Sí, claro, la conozco. ¿Que ha muerto? Pero eso no es posible. Espere, espere…» Y como no tiene cerca ningún papel va escribiendo en el dorso de la mano: «avenida Emerson 53… Sammler y Asociados». Y la vemos sentada en un despacho, mientras escucha a uno de los abogados decirle que la fortuna de la doctora Humboldt, sumando su participación en empresas, bonos y propiedades urbanas, podría alcanzar el valor de quinientos millones de dólares, que pasan a ser suyos con la condición de mantener vivo su legado. Y la voz del abogado sigue oyéndose mientras Frances Dee vuela en un jumbo y aterriza en el aeropuerto de Virginia, donde toma un coche que la conduce a la vieja mansión. Llama a la puerta y una criada indígena le abre la puerta y la conduce al cuarto de la doctora, cuyo lugar va a ocupar a partir de ahora. Frances Dee coloca su ropa en el armario y mirando al agua dice: «Está bien. Ya me tienes aquí». Y luego se ve cómo ha vuelto a pasar el tiempo, esta vez muchos años, y Frances Dee, que es ahora una anciana, tiene que buscar a otra enfermera para que se ocupe de la criatura cuando ella haya muerto. Y la película termina con esa enfermera nueva que llega a la casa y llama a la puerta, mientras Frances Dee, con el pelo completamente blanco y la piel arrugada, lo observa todo con una sonrisa triste desde la ventana de su cuarto. Y se ve el vestíbulo con el ancho canal y los fruteros repletos de naranjas, y a la enfermera joven que avanza hacia el borde del agua sin saber que allí está la criatura esperando a su nueva enamorada.

3

Eva leía su ponencia a primeras horas de la mañana y yo había llegado a Alicante la noche anterior. Antes de acostarme, me había paseado por el vestíbulo del hotel y visitado repetidas veces el comedor y el bar con la vana esperanza de encontrarme con ella; luego sabría que estaba alojada en un hotel distinto al mío. De modo que me levanté pronto esa mañana y me aposté en el vestíbulo del Palacio de Congresos, dispuesto a abordarla tan pronto apareciera por allí. «Esto es absurdo —pensaba—; han pasado cerca de treinta años, puede que no sea la misma o que no la llegue ni a reconocer.» Pero me bastó con verla en la puerta para saber al instante que era ella. Tuve la suerte de que iba sola.

—¿Eva Arrizabalaga? —le pregunté.

Eva asintió mientras me miraba tratando de situarme en algún lugar de su vida.

—Soy Daniel —le dije—. ¿No te acuerdas de mí?

Se quedó sin saber qué contestar.

—Nos conocimos en Valladolid hace muchos años, en el verano de mil novecientos sesenta y tres. ¿Te suena el monstruo de la laguna negra?

Eva reaccionó al momento.

—Dios mío, Daniel… Pero ¿qué haces aquí?

—Soy médico, urólogo como tú. Participo en el mismo congreso.

—No es posible. Déjame que te vea.

Las ventanas estaban cubiertas con largos estores que mantenían el vestíbulo en penumbra y Eva me condujo a una terraza exterior. El Palacio de Congresos estaba frente a la playa, y se veía la arena color crema y la masa azulada del mar. La luz de principios de octubre se extendía sobre las cosas como un levísimo manto de oro.

—Estás muy guapo.

La curva de su frente descendía suavemente hasta la línea de una nariz bonita y pequeña. Tenía un rostro despierto, tamizado por una especie de timidez infantil, y un cutis sano, rosado, sin apenas maquillaje.

—Tú también lo estás.

—Anda, anda, no seas adulador…

Eva aún retenía mi mano entre las suyas. Me fijé en que en uno de sus dedos llevaba una alianza.

—No me lo puedo creer, te lo juro; esto es lo más fantástico que me ha pasado en mucho tiempo.

Recordé una frase que le había oído decir a uno de los curas del colegio: «Arroja tu pan sobre las aguas, que lo hallarás después de muchos días». Durante años había conservado aquellos recuerdos en mi corazón como una tímida costumbre y ahora descubría que seguían allí, tan vivos como el primer día.

Me extrañó que no me preguntara inmediatamente por Alberto, aunque se lo agradecí. Había amado a Alberto y supuse que era a él a quien desearía haberse encontrado. No le habría servido de nada, porque los muertos no podían contestar a nuestras preguntas.

Dos médicos se detuvieron en el vestíbulo y se quedaron mirándonos. Eva les saludó levantando la mano.

—Son parte del equipo —me dijo, con una sonrisa triste.

Uno de ellos se acercó a nosotros y, señalando el reloj de pulsera, le dijo:

—Perdona, ya nos toca.

Eva me presentó a su compañero.

Nos dimos la mano, pero a pesar de sus esfuerzos por resultar amable, sus ojos expresaban impaciencia.

—Te presento a Daniel —dijo, y añadió con una sonrisa pícara—: Un amor de juventud.

Su amigo me miró desganado.

—Es la hora —dijo con sequedad—. Nos están esperando.

Nos quedamos solos unos segundos. Había surgido una inmediata corriente de simpatía entre nosotros.

—¿Nos escapamos? Podemos salir corriendo —le dije.

Eva sonrió. Estaba claro que habría deseado hacerlo. Era como si hubiéramos llegado allí siendo dos personas mayores y acabáramos de descubrirnos, por un milagro o por arte de magia, transformados en los chiquillos de entonces. ¿Cómo podríamos ahora intervenir en un congreso ante decenas de médicos dispuestos a no pasar por alto ni el menor de nuestros errores?

—Tengo que irme —murmuró, haciendo un visible esfuerzo para contener la emoción que sentía—. ¿Dónde te alojas?

Se lo dije. Era uno de los hoteles elegidos por los organizadores del congreso. Estaba situado junto a la playa, que, a pesar de estar en el mes de octubre, todavía acogía a bastantes bañistas. Me fijé en que un cormorán se desplazaba como una sombra sobre el mar, y en que las rocas estaban misteriosamente atestadas de pájaros. Muy cerca había una fila de palmeras que se inclinaban en varios ángulos, como si se tratara de ermitaños envueltos en harapos y de barbas ralas.

—Te llamo por la tarde —me dijo—. Quedamos a cenar esta noche. ¿De acuerdo?

—Sí, claro.

Eva se reunió con sus compañeros, y yo entré discretamente en el auditorio y me senté en una de las filas del fondo. Me preguntaba por qué Eva me había presentado como un viejo amor, lo que era obvio que no había sido. ¡Ya me habría gustado! No conocíamos las leyes que regían el amor. Bajo su influjo lo que había pasado no caducaba, lo que había muerto no desaparecía, las palabras equivalían a hechos, los pensamientos conservaban un poder mágico.

Su amigo terminaba en esos instantes su intervención y cedió a Eva la palabra, para que expusiera las conclusiones del trabajo. Antes de retirarse se inclinó sobre ella y le dijo algo al oído con un gesto de inesperada intimidad que me hizo sentir celos. Puede que hubiera algo entre ellos y que aprovecharan aquellos congresos, como hacían otros médicos, para vivir sus aventuras románticas. Presentaban un documentado estudio sobre ciertos tipos de esterilidad masculina, y Eva se mostró en todo momento brillante y segura de sí misma, como si hablar de todo aquello le proporcionara un inesperado placer. Pensé en *El banquete* de Platón, en aquellas criaturas redondas como esferas que habían precedido a los hombres, y cuya energía y osadía sin límites terminó por causar celos en los dioses. Éstos decidieron dividirlas en dos, dando origen a los dos sexos, que desde entonces no hacían sino buscarse entre sí, tratando de completarse. Puede que fuera eso lo que hubiera llevado a Eva a inclinarse por aquella rama de la medicina, de la misma forma que en el origen de la atracción que sobre tantos hombres ejercía la ginecología latía el mismo interés por esa mitad femenina de la que se les había privado.

Me marché cuando Eva terminó su intervención y, como hasta el día siguiente no tenía más obligaciones, opté por alquilar un coche y dirigirme a Altea, que había conocido hacía unos años en compañía de mi mujer. La carretera discurría siguiendo la costa y los árboles parecían animados por ocultos pensamientos. Llegué al pueblo y empecé a ascender por sus calles en cuesta, que acababan de regar. Me excitaba la intensa luz y el olor del agua salada. Un perro famélico revolvía entre la basura mientras las gaviotas planeaban en el azul del cielo. Al pasar junto a un restaurante, vi en su cámara frigorífica, expuesta a los ojos de los transeúntes a través de un pequeño escaparate, todo tipo de animales muertos. Aquel mundo de casas blanqueadas y cielos azules era en realidad un gran matadero.

Me crucé con un anciano. Avanzaba lentamente, con pasos menudos y extrema desconfianza. La vejez era un país terrible en el que yo mismo no tardaría en entrar. Nadie me acompañaría en ese tránsito. Hace unos años había recorrido aquellas calles en compañía de mi mujer, convencido de que estaríamos juntos para siempre, y ahora ella no estaba, como si un demonio la hubiera arrebatado de mi lado. Me detuve ante una librería de libros usados y decidí entrar. Tantos libros, pensé, y que ninguno me ayudara a vivir. Me fijé en una vieja edición de las poesías de Heine. La abrí al azar y leí: «Corazón, mi corazón, no estés afligido y soporta tu destino». Bueno, aquello no estaba mal. Tenía hambre y decidí buscar un restaurante para almorzar, ya que el destino se soporta mejor con una buena comida. El hambre era un don precioso que había que saber disfrutar. Compré el libro y salí a la calle, con el pensamiento puesto en Eva. Me sentía intimidado por mis propias emociones, por la fuerza con que habían regresado a mí aquellos recuerdos…

Estaba de nuevo en el río. El calor era sofocante y Eva se quitaba el vestido para darse un baño mientras la corriente arrastraba la barca. Soplaba algo de brisa y los árboles de la orilla comenzaron a mecer sus ramas. Aquel verano seguía siendo un misterio para mí. El misterio del alma de una muchacha y del amor que nos había unido a ella. Eva había sido como la reina que acoge en su séquito a dos jóvenes pordioseros. No es de extrañar que a su marcha nos descubriéramos en las tinieblas.

Volví a sentir el terror ciego de un niño, el miedo que desde el primer momento te inspiran los mayores, el del beso que te niegan, el de la vela que se llevan con ellos. Eran noches llenas de angustia. Yo estaba acostado y oía discutir a mis padres. Discutían por mí. Mi padre reprochaba a mi madre que me dedicara tantas atenciones, y ella respondía diciéndole que todavía era muy pequeño y que los niños pequeños necesitan mimos.

—Le volverás un inútil —oía decir a mi padre—. Tiene ya ocho años y se pasa el día lloriqueando.

—¿Y qué…? —le contestaba ella—. No es malo llorar.

Yo sabía que no la dejaría venir a darme el beso de las buenas noches, pero también que cuando se durmiera, ella escaparía de su lado y vendría a mi cuarto a besarme. Entraba y me decía:

—Quiero ser perfecta para ti, para que puedas amarme sin dolor.

¿Era posible eso, amar sin dolor? No, no lo era, porque el amor no podía nada, ya que los seres que amabas eran siempre más poderosos que tú.

Creo que por eso, años más tarde, le cogimos gusto al gimnasio, porque allí todo tenía su propio orden, todo era claro y sencillo. Lo que tenías que hacer para estar en forma y cómo debías defenderte. Todo dependía de ti, de tu propia astucia y esfuerzo. Mateo Primero solía decirnos que todos los comentarios acerca de la dureza del boxeo eran una tontería. Más dura era la vida, y no por eso llegábamos a la conclusión de que no teníamos que vivir. Además, en el boxeo, existían unas reglas que había que respetar. Según Mateo, quienes ven desde fuera las reglas y no el amor que lleva a imponerlas, colocan con demasiada facilidad a los otros la etiqueta de prisioneros, pero allí nadie era prisionero.

Cuando Eva se enteró de nuestra afición al boxeo, y de que todas las tardes íbamos a entrenar, quiso que la lleváramos con nosotros.

—En el gimnasio no dejan entrar a las chicas.

Eva se ofendió y para consolarla tuvimos que prometerle que la llevaríamos con Serafín Parra para que pudiera contarle anécdotas de su vida en Hollywood.

—¿Puedo preguntarle por la película del monstruo?

—Sí, claro —le contesté—, es su tema preferido.

Nos encontraríamos la tarde siguiente. Su plan era quedarse en casa, fingiendo una ligera indisposición, y esperar a que Beatriz saliera con sus amigas. Luego se reuniría con nosotros. Y así lo hicimos. Pero nos tenía preparada una sorpresa. Se había puesto la ropa del hermano de Beatriz y, como tenía el pelo corto, parecía un chico. Ni siquiera nosotros la reconocimos.

—¿Qué os pasa? —nos dijo—. Soy yo, Eva.

Llevaba pantalones cortos y el pelo peinado con raya. Nos quedamos sin saber qué decir.

—Venga, vamos —nos dijo, desafiante.

—¿Adónde?

—Al gimnasio Uzcudun.

No nos atrevimos a decirle que no, y nos dirigimos al gimnasio. Alberto y yo íbamos aterrorizados pues sabíamos cómo se las gastaba Mateo Primero, y que si llegaba a descubrirlo sería el fin de nuestra carrera como boxeadores. Pero Eva se negó a dar su brazo a torcer.

—Como lo descubra nos la cargamos —dije yo, tratando de hacerle recapacitar.

—Ni siquiera vosotros os habéis dado cuenta.

Cruzamos la puerta y allí estaba Mateo Primero, como si alguien le hubiera advertido de nuestras intenciones. Ya era tarde para retroceder.

—Es un amigo —dijo Alberto muy serio—. Quiere vernos entrenar.

Mateo Primero no puso ninguna objeción.

—Está bien —dijo—, pero que no dé la lata. No quiero conversaciones.

—Prometido.

Eva se sentó en un taburete, junto al pozo, y permaneció allí el tiempo que duró el entrenamiento. No se movía, no se perdía ni un solo detalle. Había conseguido un vaso y estaba bebiendo agua a pequeños sorbos… ¿o acaso era el elixir de la vida? El cielo resplandecía sobre nuestras cabezas, azul y transparente. En el ring dos muchachos simulaban un combate y se oía el sonido leve de sus respiraciones y el de sus pies al moverse sobre la lona. Reinaba una tranquilidad como la que debió de existir en el claustro de algún filosofo de la Antigüedad, retirado del ruido y de las vanidades del mundo.

Cuando terminaron, Mateo Primero se volvió inesperadamente hacia Eva, que permanecía inmóvil en su taburete, mirándolo todo con una atención suprema.

—Tú, ven aquí —le dijo.

Eva se señaló con el dedo y, después de dudar unos momentos, nos buscó con los ojos a Alberto y a mí, preguntándonos qué tenía que hacer.

—Sí, tú —insistió Mateo Primero—. Baja de la nube.

Eva se incorporó vacilante, y sin dejar de mirarnos avanzó a su encuentro. Temblaba como los pobres corderos que llevan a sacrificar. Mateo Primero le hizo tender los brazos y le estuvo palpando los músculos.

—Hay que fortalecer estos bíceps. Parecen alas de jilguero.

Uno de los chicos se echó a reír.

—Alas de jilguero… —murmuró—, eso sí que es bueno.

Eva le miró con ojos asesinos. Se situó ante él y, poniéndose en guardia, le espetó:

—Pelea.

El chico la doblaba en tamaño, y ni Alberto ni yo quisimos imaginar lo que habría sucedido si hubieran llegado a enfrentarse. Pero no llegó a suceder nada, porque Mateo Primero lo impidió.

—Está bien, está bien —le dijo a Eva, tomándola amigablemente por los hombros—, ya has demostrado que no te falta valor. Ahora sólo necesitas un poco de cabeza.

Todos nos reímos aliviados y a Eva se le subieron los colores. Creo que fue entonces cuando Mateo Primero se dio cuenta del engaño. Y, de hecho, en el nuevo entrenamiento, lo primero que hizo fue llamarnos aparte y decirnos que no quería volver a ver chicas por el gimnasio.

Pero eso fue la tarde siguiente, y en aquel día aún habrían

de pasar cosas dignas de ser contadas. Tras los incidentes con aquel matón, Alberto y yo nos vestimos a toda prisa y sacamos a Eva de allí. Fuimos hasta el río Esgueva. Era el otro río de la ciudad. El Pisuerga la cruzaba por su lado este, y el Esgueva, que era apenas un riachuelo, desembocaba en él muy cerca de donde estábamos. En el silencio del atardecer, el río con sus árboles parecía iluminado por una luz ajena a este mundo. El agua brillaba como un espejo de cobre. Todo estaba vivo. Hasta los objetos más menudos conservaban un pequeño espíritu que los hacía vibrar. Las bicicletas apoyadas en las casas, los cubos de fregar, las pequeñas cerraduras de las puertas, todo tenía una vida propia.

Eva iba abstraída y yo la miraba de reojo, tratando de imaginarme sus pensamientos. Los míos tenían que ver con arriesgados rescates y aventuras inverosímiles. Alguien la había secuestrado y me veía desplazándome por los tejados hasta el lugar donde la tenían oculta y liberándola de su prisión. Apenas sentía su peso y la llevaba en mis brazos sin esfuerzo, mientras ella se dormía confiada contra mi pecho. Como el hombre araña, yo podía salvar los abismos de las calles y escalar las fachadas. Sentí de pronto una suerte de pavor, el miedo de alguien a quien las fuerzas superiores le han concedido cuanto deseaba.

Fuimos al bar Los Lagartos, a buscar a Serafín, pero nos dijeron que llevaban varios días sin verle. Decidimos ir a su casa. Las escaleras estaban muy oscuras y no encontramos el interruptor de la luz. Llegamos casi tanteando hasta su piso y empezamos a llamar a la puerta. Llamábamos y nos quedábamos quietos un rato, esperando oír cualquier ruido. De pronto se encendió la luz de las escaleras y uno de los vecinos se asomó desde los pisos superiores.

—¿Qué coño queréis? —gritó.

Llevaba una camiseta de tirantes que dejaba al descubierto los hombros y gran parte del pecho. Su rostro tosco y embrutecido se dibujó en el hueco de las escaleras. No parecía hecho a semejanza de un ser humano. Eva se abrazó a mi espalda y empezó a tirarme de la camisa.

—Anda, vámonos —susurró, clavándome las uñas.

Alberto tomó la iniciativa, y acercándose a la barandilla le dijo:

—Venimos a ver al boxeador.

—¿A quién?

Era obvio que no sabía de quién estábamos hablando.

—A Serafín Parra, el boxeador —insistió Alberto—. Vive en esta casa.

—No sé quién es.

—Somos amigos suyos. Queremos hablar con él.

Nos dijo que le daba igual quiénes fuéramos pero que aquélla era una casa decente y que no eran horas de armar escándalos.

Eva nos tiraba cada vez con más fuerza de la camisa y empezamos a descender por las escaleras. La luz se apagó antes de que llegáramos al portal, y los tres echamos a correr. Bajamos las escaleras que faltaban sin apenas tocar los peldaños. Al llegar a la calle nos dio la risa.

—Era como Lon Chaney, en *El hombre lobo* —dijo Alberto.

Avanzamos unos metros tomados de los hombros. A lo lejos

se veía la fábrica de cerámica. Su chimenea hacía que pareciera un gran transatlántico atracado en el muelle.

—El último en llegar —dije, desprendiéndome de sus brazos— se convierte en esclavo de los otros.

Eva salió la primera, pero Alberto y yo la adelantamos con facilidad. Cuando nos alcanzó, su pecho temblaba como el de un pajarillo.

—Ahora serás nuestra esclava.

No protestó. Parecía haber arrancado algún secreto a la noche y guardarlo en lo más hondo de sí misma, donde nosotros no podíamos mirar.

—Tienes que ir a aquella iglesia —le dije— y ponerte en la puerta a pedir.

Sólo pretendía asustarla, pero antes de que pudiéramos reaccionar, Eva estaba cruzando la calle en dirección a la iglesia. Al llegar al atrio levantó la mano para saludarnos. Parecía una actriz preparándose para el momento cumbre de su intervención. Llegaron dos ancianas y Eva las abordó. Las vimos buscar en sus bolsos y darle algo. Luego llegó otra, y enseguida otras más. Eran todas menudas y sigilosas, como si pertenecieran a una estirpe infinitamente temerosa que sólo a esas horas se atreviera a abandonar sus oscuros refugios. Eva hablaba con ellas y todas le daban algo.

Cuando nos mostró su tesoro, Eva tenía las mejillas sonrojadas por la excitación. Teníamos para unos pitillos sueltos. Oímos crotorar a las cigüeñas de la torre.

—¿Qué es eso? —preguntó. Me fijé en sus labios pálidos e infantiles, como si aún conservaran restos de la leche materna.

—Son las cigüeñas —dijo Alberto—. Hacen ese ruido con el pico.

Nos quedamos escuchándolas. En lo alto se veía su nido, y en él las cabecitas de varias crías.

—¿Creéis en Dios? —preguntó Eva.

Alberto se encogió de hombros.

—No sé —murmuró—. Algo tiene que haber.

Nos quedamos mirando el campanario. Los cigoñinos se agitaban sin descanso, batiendo sus picos como largas cucharas. «Queremos más, más…», parecían estar diciendo. Como si nunca estuvieran contentos con lo que tenían.

—Yo no —dijo Eva con firmeza.

Alberto y yo la acompañamos a su casa. Había escondido su vestido bajo las escaleras, y tenía que quitarse las ropas de chico antes de subir. Montamos guardia mientras se cambiaba en la oscuridad del portal. Eva regresó a nuestro lado con un vestido blanco de tirantes, que dejaba al descubierto los hombros. Llevaba puesta una medalla de la Virgen. No era cierto que las chicas no supieran qué querían.

—Bueno, tengo que irme —nos dijo, con un tono de tristeza.

Oímos ruido en las escaleras y Alberto y yo pusimos pies en polvorosa. El padre de Beatriz era muy estricto, y de haber sabido de dónde veníamos, habrían rodado cabezas. El resto del camino lo hicimos en silencio, abstraídos en nuestros pensamientos. Nos despedimos en la plaza Mayor. Era viernes y ese fin de semana yo tenía que pasarlo con mis padres. Los sábados por la noche había verbena en las piscinas Samoa, y Beatriz y sus amigas tenían intención de ir. Sentí celos de Alberto, que también lo haría y podría estar con Eva, mientras yo me aburría en el pueblo como una ostra.

—El lunes nos vemos —le dije.

—Sí, está bien —me contestó distraído, con el pensamiento puesto ya en otra cosa.

Al llegar a casa, fue Pilar la que salió a abrirme.

—¿Qué tal los entrenamientos? —me preguntó bajando la voz, para que mi tía no nos oyera.

Pilar era la única que estaba al tanto de mi afición al boxeo y de mis visitas al gimnasio.

—Muy bien, la semana que viene nos dan los guantes.

Me puse a bailar a su alrededor, simulando una pelea. La mantenía apartada con mis golpes de izquierda.

—Ahora un *crochet*.

E hice que mi puño subiera hacia su mentón. Pilar se echó a reír.

—Te hará falta con tu tía. Está hecha una furia.

Mi tía Goya estaba, en efecto, esperándome en el comedor. Sentada en su sempiterno sillón, junto a la pequeña mesa camilla. La luz de la lámpara proyectaba un círculo amarillento sobre la mesa, e iluminaba pérfidamente sus manos.

—Hola, tía.

Fui a darle un beso, pero apenas me miró.

—¿Te parece bien llegar a casa a estas horas?

Me encogí de hombros.

—¿Qué hay de cenar?

—Voy a tener que hablar con tu padre. Te pasas toda la tarde en la calle y no abres los libros; te volverán a suspender. ¿Se puede saber dónde has estado?

—Con Alberto. En las piscinas.

Me senté a su lado y cogí mecánicamente el libro que había en la mesa. A esas horas le gustaba que le leyera. Solían ser novelas históricas que tuvieran que ver con el pasado glorioso de España, con sus monarcas y sus conquistadores. Aquélla era sobre Juana la Loca. Por alguna razón que no comprendía era un personaje que le fascinaba. Especialmente el tiempo de su confinación en Tordesillas. Pilar solía sentarse con nosotros a escuchar, mientras se las entendía con el cesto de costura.

—Este chico va para locutor de radio —solía decir, elogiando mi voz.

—Pero qué tonterías dices —contestaba mi tía, a la que el mundo de la radio y el teatro, el mundo del espectáculo y el arte en general, le provocaba una enorme desconfianza, porque según ella carecía de principios morales. No estábamos solos, sino rodeados por toda clase de fuerzas, buenas y malas, respetuosas y desleales, y todas las precauciones eran pocas. Ésta era su filosofía de la vida. No bastaba con los buenos propósitos; era necesaria una buena organización.

—Hacen falta estrategias, tácticas, todo lo propio del mando militar. Nuestros padres y abuelos no luchaban solos. De hecho, disponían de un ejército, con sus fortalezas, trincheras, comandantes y suboficiales. Hasta tenían sus uniformes.

—Si se refiere a los velos, las misas y las novenas, no estoy de acuerdo con usted —decía Pilar, que a su lado parecía una libre-pensadora.

—Tú qué sabrás —le contestaba mi tía con un tono despectivo—. Lo que pasa es que eres una comunista de tomo y lomo.

—Y qué si lo soy…

—Los comunistas están llenos de odio. Ya ves lo que han hecho en Hungría. Quieren igualarnos a todos en la pobreza y en la esclavitud.

Pilar no era comunista, pero se callaba para no darle a mi tía la razón. Aún más, desconfiaba de ellos porque les hacía responsables de la muerte de su hermano Bernardo. Bernardo estuvo en Madrid durante la guerra y había pertenecido al partido. Pero le destinaron a una checa, y lo que vio hacer a sus camaradas con los detenidos le hizo reconsiderar su postura. Se fue con un grupo anarquista, pero tampoco allí vio sino odio y ansias de desquite. Iban por el barrio de Salamanca saqueando las casas y, en muchos casos, abusando de las mujeres. Luego, por la noche, Bernardo le escribía largas cartas, que le hacía llegar a través de un conocido, en las que le hablaba de la República y de todos los abusos que se estaban cometiendo en su nombre. Aquellas cartas, que Pilar guardaba como oro en paño, terminaron en la caldera. Mi tía las descubrió casualmente en plena posguerra y, convencida de que podían comprometerlos a todos si llegaban a manos de la policía, tomó la decisión de quemarlas. A Pilar no le importó mucho porque de tantas veces como las había leído se las sabía de memoria.

Había querido con locura a su hermano y cualquier pretexto era bueno para ponerse a hablar de él. Sus ojillos se encendían con aquellas historias de la infancia, cuando trillaban en la era, cuando bajaban al río o iban por pichones a los palomares. También hablaba de los bailes que había en el pueblo, amenizados por el organillo del cojo Sanjuán. «¿Por qué no te has casado?», le preguntaba yo. Y Pilar me contestaba que porque no había querido, que a ella nunca le habían faltado pretendientes y en las fiestas los muchachos hacían cola para sacarla a bailar. «Además —añadía misteriosa—, yo estaba comprometida.» «¿Con quién?», insistía yo. «Eso no te lo puedo decir —me contestaba—. Se trata de un secreto.»

«No prometas nunca lo que no puedas o no quieras cumplir», ésa era la frase predilecta de Pilar. Siempre me pregunté qué la retuvo tantos años junto a una persona como mi tía, con la que apenas tenía nada en común. Formaban una de esas uniones extrañas que, aun desafiando las leyes de la naturaleza, logran misteriosamente salir adelante. Una criatura, como los centauros o las sirenas, formadas por dos seres incompatibles y que sin embargo se revelan dueñas de una vida propia, aunque no haya forma de saber para qué sirve esa vida. Pero, bien mirado, en esto no eran diferentes a las otras criaturas del mundo, pues tampoco se sabía por qué había elefantes, flamencos, bueyes u ovejas. Aún más, ni siquiera se sabía por qué habíamos nacido los hombres, que éramos probablemente las criaturas más extrañas de todas. De forma que continué leyendo aquel pasaje del encierro de la reina Juana en Tordesillas, como si se tratara de una historia más de las muchas que hablaban de lo raro que era todo. La infanta Clara había pasado toda su infancia en Tordesillas hasta que ya adolescente la abandonó desconsolada para casarse con el rey de Portugal, y, según mi tía, ésa era la prueba de que doña Juana, su madre, no podía estar loca, ya que para criar a una hija durante tantos años era preciso tener la cabeza en su sitio. Puede que tuviera razón y que el reino del amor no fuera sino el luminoso reino del sentido común. «Es el cielo el que debe juzgar a la tierra, y no al revés», eso decían todas las novelas del mundo. Y bastaba con mirar a Eva para darse cuenta de que era eso lo que hacía. ¿Qué había más razonable que subirse al tejado para recuperar un balón, o hacerse cargo de la pierna ortopédica de Óscar el Cojo mientras éste se iba a bañar? Alguien tenía que hacerlo porque si no, al momento, tenías allí como moscones a todos los niños de la piscina. «Hay que amar las cosas sin esperar a entenderlas», ésa era la enseñanza que sacabas de sus actos.

Terminó el tiempo de la lectura y, tras pasar por la cocina y comer un poco de fruta, me fui derecho a mi cuarto. La luz de la luna bañaba los pesados muebles de nogal de una claridad lechosa, que recordaba el agua de los lagos, y yo la miraba desde mi cama, mientras el sueño me iba invadiendo. Pensaba en Eva, disfrazada de chico en el gimnasio, y en su enfrentamiento con aquel muchacho, que podía haberla borrado del mapa con la facilidad con que se apaga la llama de una vela. «Mantenla alta y tendrás un novio alto», oía, ya entre sueños, decir a mi madre. Ella era una niña y las mujeres mayores decían esto a las jovencitas. Pero mi madre hacía todo lo contrario y ponía la vela muy cerca del suelo para tener un novio que no pareciera un caballo percherón. «Las cosas que amas tienen que caber en la palma de la mano», decía, y ésa era su idea de la felicidad.

A la mañana siguiente cogí el autobús para el pueblo. La ciudad estaba en un pequeño valle y la carretera ascendía luminosa hasta el páramo, donde enseguida se veía el campo de aviación. Eran instalaciones militares y los aviones de carga reposaban exhaustos en la pista. No era fácil imaginárselos en el aire, con sus vientres hinchados y sus hélices llenas de herrumbre. El páramo se extendía como un mar inmenso y los escasos árboles que se recortaban en la distancia semejaban pequeñas barcas mecidas por la brisa. Muy pronto los arbustos y las encinas revelaban la proximidad de los montes Torozos. La carretera descendía trazando largas curvas, y al final, como en un sortilegio, se veía Medina de Rioseco y las torres de sus iglesias, que en el aire de la mañana se recortaban contra el azul del cielo como limpias custodias de plata. Unos kilómetros más allá, siguiendo la franja de los campos de regadío, plantados de remolacha, maíz y alfalfa, estaba el pueblo de mi padre. El autobús se detenía en la plaza, nada más cruzar el arco, con su pequeña torre en el centro. Allí estaba el reloj, al que se accedía por unas horquillas de metal que, clavadas en la piedra, hacían las veces de escaleras. Aunque estaba prohibido, los mozos del pueblo se subían muchas noches a las pequeñas almenas, normalmente con más alcohol de la cuenta en el cuerpo.

Nuestra casa estaba muy cerca de la plaza. Entré sin llamar, ya que en aquel tiempo todas las puertas solían estar abiertas y la gente del pueblo no temía a los ladrones, tal vez por sentirse protegidos por su propia pobreza. La casa estaba en penumbra, pues mi madre tenía la costumbre de entornar contraventanas y puertas para evitar que la luz atrajera a las moscas. La frescura de las habitaciones contrastaba con el calor del exterior. Oí ruidos en el patio. Voces y risas de mujeres, entre ellas las de mi madre, y el sonido de botellas que se traían y llevaban. Fue nuestra perra la primera en descubrirme. No la veíamos en todo el invierno, pero tan pronto poníamos los pies en el pueblo se arrojaba enloquecida a nuestros brazos, como si para ella no existiera el paso del tiempo y toda su vida consistiera en la repetición de un único día eterno, con el misterio de sus pérdidas y de sus reencuentros. La perra se puso a ladrar llamando la atención de las mujeres, y mi madre corrió a mi encuentro y me abrazó colgándose de mi cuello, en un gesto que imitaba el de las heroínas de las películas. Las otras mujeres se echaron a reír. Eran cuatro. Dos de ellas, Carmen y Sofía, eran de la edad de mi madre, y las conocía de toda la vida, y las otras eran muy jóvenes, casi unas niñas. Reconocí a una de ellas. Se llamaba Remedios y dos veranos antes había sido mi compañera de juegos alguna tarde.

—Qué guapo te has puesto —dijo Sofía, plantándome dos sonoros besos en las mejillas. Estaba fregando botellas y tenía las manos mojadas y frías como peces.

También Carmen vino a mi encuentro. Era ella quien me había cuidado al nacer, y me quería con locura. Tenía la costumbre de cogerme de los carrillos y apretármelos hasta hacerme daño. Pero esta vez, después de mirarme con una sonrisa triste, se limitó a acariciarme la cara.

—Es verdad —dijo con emoción—, qué guapo y qué mayor estás.

Pero en realidad fue como si me hubiera dicho: «Se acabaron las risas, los besos, las tardes cogiendo almendrucos, las historias de aparecidos… Ahora tienes que seguir tu propio camino». ¿Era eso verdad? ¿Teníamos un camino que recorrer? No, no lo teníamos. Nos hacíamos la ilusión de que algo nos aguardaba más allá de nosotros mismos, una tierra de promisión y esperanza, pero en realidad no teníamos adónde ir.

—Y vosotras, ya podéis andaros con ojo —añadió Sofía, dirigiéndose esta vez a Remedios y a su amiga—, que estos caballeretes de la capital se dan buena maña con las incautas.

Me fijé en Remedios. El año anterior era aún una niña y ahora se había transformado en una muchachita de cara asustada, que se ruborizó al oír a Sofía.

A todas las mujeres les gustaba jugar con el amor. Así era el mundo para ellas. Un lugar lleno de delicadas promesas, donde eran inevitables el engaño y el sufrimiento. Pero ellas estaban dispuestas a soportar lo que fuera con tal de que una pareja joven, en algún lugar perdido, pudiera comenzar una nueva vida.

La actividad en la cocina y el patio tenía que ver con la preparación de la conserva de tomate que luego utilizaríamos durante todo el año. Los tomates llegaban en cajas desde las huertas y, tras hervirlos y quitarles la piel, se trituraban e introducían en botellas de cristal que se sellaban con cera. Cuando llegué, el olor de tomate invadía la casa.

—Ayúdanos con la bomba de agua —dijo mi madre.

El agua se sacaba del pozo mediante una bomba de mano y, una vez limpias, las botellas se iban colocando al sol como un ejército de hombrecillos transparentes. Mientras accionaba la bomba, permanecí abstraído en el sonido de la succión del agua. De vez en cuando se oía el mugido de las vacas y el canto de los gallos de los corrales vecinos. Aunque me había dolido dejar la ciudad, ahora me sentía feliz de estar de nuevo en el pueblo y de poder escuchar unos sonidos que me habían acompañado desde la infancia.

La amiga de Remedios se despidió cuando terminamos de lavar las botellas y Sofía y Carmen entraron en la cocina con mi madre. Remedios y yo nos quedamos solos en el patio.

—Anda, ven —me dijo—, vamos a ver la cabaña.

La cabaña era una caseta, situada en el otro extremo del patio, donde en la época de matanza se preparaban los embutidos y se adobaba la panceta y las costillas del cerdo. Hacía dos veranos Remedios y yo la habíamos utilizado en nuestros juegos, limpiándola y llenándola de adornos hasta hacerla parecer una casa de verdad. Ella se sentaba junto a la chimenea y me veía jugar con los pequeños soldados de goma, que yo desplazaba por el suelo y los muebles imaginándome todo tipo de aventuras. Pero el tiempo había pasado y la caseta estaba llena de suciedad. De los adornos que habíamos puesto apenas quedaba una de las cenefas que hacíamos recortando papel de periódico.

—Me gusta venir a verla —dijo Remedios, con una sonrisa triste.

De qué sirve una casa, parecía estar pensando, cuando en ella no hay nadie que te espere.

—Necesita una buena limpieza —comenté, sin saber muy bien qué decir.

Remedios asintió con la cabeza. Un pequeño ratón salió entonces de entre los sacos y corrió a esconderse en la chimenea. Remedios, al contrario que la mayoría de las chicas, no tenía miedo a los ratones.

—¿Has visto? —me preguntó.

—Son los nuevos inquilinos.

En la comisura de sus labios descubrí un rasgo en el que no había reparado hasta entonces, una expresión de amargura mezclada con humildad, como si, a pesar de su corta edad, ya supiera lo difícil que era vivir.

Salimos al patio y, tendiéndome la mano, me dijo que Sofía la estaba esperando. La mano de Remedios era muy frágil, y sentí sus huesecillos entre mis dedos como los de un pájaro que apenas tuviera fuerzas para volar.

—Bueno, me voy —añadió.

La vi cruzar el patio en dirección a la casa. Tenía las piernas muy delgadas y sus movimientos eran lentos y dignos, como los de una actriz. Al llegar a la puerta se dio la vuelta. No hizo ningún gesto. Sólo volvió la cabeza y me miró unos segundos antes de cruzar misteriosa el umbral de la puerta y perderse en el interior de la casa.

Al atardecer, di un paseo solitario hasta el monte en compañía de la perra. El sol encendía las nubes, proyectando un brillo rosado sobre la planicie de espigas y llenando las ventanas de las casas de oro fino y púrpura. Las golondrinas surcaban veloces el cielo en busca de su provisión de insectos y, a lo lejos, un rebaño de ovejas avanzaba por el camino en medio del polvo. El pastor iba en burra y se oían las esquilas y el balido de los corderos reclamando su ración de leche. La perra levantó su cabeza y permaneció un rato mirando excitada el cansado cortejo de animales, aunque la presencia vigilante de los perros pastores la indujeran a no acercarse más.

A mi regreso, mi madre estaba sola en la cocina. Mi padre se había ido al bar y ella preparaba la cena. La mesa estaba llena de vainas de guisantes.

—¿Te ayudo?

—Claro —dijo ella.

Me di cuenta de que estaba furiosa, probablemente porque mi padre se había vuelto a ir. Cuando llegaba al pueblo se pasaba el día con los amigos y no le veía el pelo.

Me senté a la mesa y me puse a separar las semillas de sus vainas. Muy pronto había llenado un plato entero. Los guisantes parecían las cuentas inútiles del tiempo que pasaba. Mientras tanto, observaba a mi madre. Sus labios eran rojos como una flor abierta. Me recordaba una leona en el zoológico, levantando por un instante en su boca el trozo de carne que le habían arrojado.

—Te has hecho mayor —murmuró—; te dejo una semana y cuando vuelvo a verte te has hecho mayor. También tú quieres huir de mi lado. Dentro de poco aparecerá una lagarta y te apartará de mí.

Estaba muy guapa, con uno de aquellos vestidos ligeros que revelaban las formas cálidas de su cuerpo. Me acordé del tiempo en que aún corría a su cama por las noches para dormir con ella, y de lo felices que habíamos sido. De pronto se echó a llorar.

Me acerqué a ella para abrazarla. Su llanto era silencioso, pero las lágrimas eran tan abundantes que enseguida las sentí traspasando la tela de mi camisa. Me di cuenta de que le pertenecía, que siempre sería suyo, que nunca podría pertenecer a ninguna otra mujer.

—¿Qué te pasa? —le pregunté.

—Nada, no me pasa nada...

A mi madre no le gustaba ir al pueblo, era mi padre el que se empeñaba en llevarla. Los veranos se le hacían eternos. La casa era incómoda, hacía mucho calor y no tenía muchas amigas. Tampoco podía bañarse con libertad, que era lo que más le gustaba, pues entonces no había ningún sitio en el pueblo para hacerlo sin que te criticaran. Mientras yo era pequeño ella se había volcado en mí, pero aquel verano, con mi ausencia, se pasaba la mayor parte del tiempo sin saber qué hacer, muerta de aburrimiento, pues mi padre o bien estaba en el bar jugando una de sus interminables partidas de cartas o bien se había ido a pescar o a cazar. Esto molestaba mucho a mi madre, entre otras cosas porque luego era a ella a quien le tocaba limpiar las piezas cobradas.

—No te entiendo, te lo juro —le decía a mi padre, cuando le veía aparecer ufano con un racimo de codornices colgando de la cartuchera—. Vuelves a casa como si acabaras de participar en el desembarco de Normandía, pero no veo qué valor hay en disparar contra unas pobres criaturas indefensas.

Ella podía entender que un hombre saliera a cazar para alimentar a su familia, pero no por placer o deporte. El ave que antes volaba libre por el campo era ahora un triste despojo. ¿Por qué hacer algo así? Había que ascender en lo sagrado y no descender.

Luego venía a mi cuarto y me decía:

—Prométeme que nunca matarás a ningún animal.

Cuando se enfadaba conmigo utilizaba el plural para referirse a mi padre y a mí, como si hubiera entre nosotros una alianza de la que ella estaba excluida.

—Acabaréis conmigo —me decía, como dándome a entender que entre los dos le habíamos arrebatado su porción de vida en este mundo, que nos habíamos quedado demasiado para nosotros, sin dejar nada para ella.

Siempre había odiado aquel pueblo, su suciedad y su pobreza. Las calles no estaban asfaltadas y el ganado iba dejando en ellas un rosario de excrementos. Su ilusión era ir a la playa. En casa había unas fotografías de un verano que habíamos pasado en Gijón y ella no se cansaba de mirarlas. Eran anteriores al accidente que había costado la vida a mi hermano. Yo tenía un año y mi hermano cinco. Un compañero de mi padre le había cedido una casa junto a la playa, y fuimos todos juntos a pasar unos días. En esa fotografía se nos veía en la playa a mi madre, a mi hermano y a mí, y a un corderito que nos habían regalado en el pueblo y que mi hermano se había empeñado en llevar con nosotros. Mi hermano Ángel estaba sentado entre las piernas de mi madre, yo entre las de mi hermano, y el corderito en las mías. Mi madre decía que parecíamos la Sagrada Familia.

Mi hermano estaba fascinado con la pistola de mi padre. Tenía prohibido tocarla, pero un día la cogió a escondidas y se le disparó. Fue un accidente, pero ella nunca le perdonó a mi padre que la hubiera llevado a casa, y que hubiera alimentado la afición de mi hermano por las armas. Mi hermano acababa de cumplir nueve años cuando murió. Había una fotografía en la que se le veía junto a mi madre. Era la última que se había hecho, y la tenía tomada por el hombro, pues ya casi era de su misma altura, como si no fueran una madre y un hijo, sino una pareja de enamorados.

—Es mi trabajo —decía él, cuando mi madre le reprochaba llevar pistola.

Pero ella no podía aceptar que hubiera llevado a Ángel a la comisaría y que le hubiera enseñado a disparar.

Estaba desesperada y se pasaba las noches llorando. Un domingo por la mañana se puso a romper los platos. Estábamos desayunando en la cocina y mi madre empezó a romperlos. Sin ningún dramatismo, como si lo más natural después de fregar los platos fuera arrojarlos al suelo.

—¿Qué haces? —le preguntó mi padre.

—Ya que Dios no creó nada bueno tendremos que disfrutar de lo malo, ¿no te parece?

—Estás completamente loca —le dijo mi padre, y salió de la cocina.

Mi padre no era un mal hombre, pero pensaba que la vida era una lucha y que sólo los más fuertes lograban salir adelante. Aunque tuvieran que hacer cosas que no les gustaran. Cuando a tu caballo se le rompía una pata tenías que disparar contra él.

—Pues hazlo —le decía mi madre—. ¿Por qué no disparas? Yo soy como ese caballo.

Un día uno de los padres del colegio de los jesuitas me pegó en la cara. Fue una bofetada de las muchas que daban cada día, pero tuve la mala suerte de resbalar y me golpeé la cabeza al caer. Llegué con una brecha a casa y mi madre al verme se puso como loca.

—¿No vas a hacer nada? —le espetó a mi padre.

—Ha sido un accidente —contestó él—. Una bofetada a tiempo no viene mal a nadie.

Pero no había forma de calmar a mi madre, y esa misma tarde me cogió de la mano y me llevó al colegio. Yo no quería ir, pero ella me forzó a hacerlo. Exigió hablar con el padre prefecto, que nos recibió al momento y le pidió todo tipo de disculpas. Entendía sus quejas pero debía comprender que a veces no era fácil controlar a tal cantidad de niños, y que también los profesores eran humanos y en ocasiones perdían los nervios.

Siempre recordaré lo que le dijo mi madre:

—No soporto que se haga daño a los niños. Para mí los niños son sagrados.

Se había hecho de noche. Había terminado con los guisantes y la cocina olía a leche azucarada. Se oía el borboteo de la cazuela en el fuego.

—¿Te acuerdas de cuando fuimos al colegio porque me habían pegado?

Ella se echó a reír.

—El padre prefecto se puso pálido. Creo que pensaba que de haberme encontrado a solas con él me lo habría comido enterito. Y ¿sabes una cosa? —añadió, haciendo una larga pausa—. Era verdad, y no habría dejado ni aquellas asquerosas sotanas que solían llevar.

Era como las leonas cuando tienen que defender a sus crías.

—Me estaba volviendo loca. Tú me salvaste.

Lo dijo sin volverse, mientras una nube de humo dejaba hilachas de seda sobre sus hombros dorados. Últimamente le daba por fumar.

—Las mujeres tenemos pensamientos terribles. Son los niños los que nos salvan. Para poder ocuparnos de ellos nos volvemos prudentes.

Mi hermano Ángel había muerto cuando yo tenía cuatro años, pero permaneció vivo durante toda mi infancia, pues mi madre no dejaba de hablar de él. Mi padre no lo soportaba y se iba de casa. Fue entonces cuando empezaron a distanciarse. Luego sabría que muchas veces es así, y que la muerte de un hijo separa a la pareja. Surgen reproches, acusaciones, resentimientos que terminan haciendo imposible la convivencia. Además, siempre suele haber uno que quiere olvidar, empezar una nueva vida, y otro que no quiere o no puede hacerlo. Mi madre no quería esa nueva vida. Pensaba que su misión era quedarse allí, al lado de su hijo, como si los niños muertos también necesitaran cuidados.

Había que rezarle todas las noches.

Luego mi madre se iba del cuarto y yo me quedaba solo. Entonces empezaba aquel mundo de sonidos misteriosos, de lejanas pisadas y dolientes respiraciones. El mundo de la terrible oscuridad, como si ésta fuera agua, agua negra que inundaba la casa llevando en su seno sus extrañas y aviesas criaturas, y con ellas a los muertos. Y yo temía que mi hermano Ángel pudiera aparecer. Apenas me acordaba de él, pero le veía igual que en las fotografías. Me obsesionaba sobre todo una en la que mi hermano y yo estábamos con un tío mío. Mi tío llevaba gafas oscuras y me tenía cogido del hombro, mientras Ángel permanecía un poco separado de nosotros, como si no nos necesitara para nada. Yo llevaba pantalones cortos y él largos, y miraba a la cámara desafiante, con esa extraña belleza de los hindúes, la belleza fría y esquiva de los que viven con las serpientes. Las noches se me hacían interminables, y en ocasiones mi angustia era tanta que apenas podía respirar. Pensaba que Ángel podía venir en cualquier momento a enseñarme la herida que le había hecho la bala al dispararse, y a pedirme que metiera en ella los dedos para comprobar lo profunda que era, como había hecho Jesús con santo Tomás. Si me tenía que levantar a orinar, el largo pasillo de nuestra casa me infundía tal terror que sólo podía recorrerlo corriendo. Una noche, estando en el baño, vi una sombra en la puerta. Alguien estaba en el pasillo esperando a que terminara.

—¿Quién está ahí? —pregunté.

La sombra permaneció un buen rato sin moverse y luego desapareció lentamente. Yo quería correr hasta mi cuarto y buscar el resguardo de la cama, en la que me cubría enteramente con sábanas y mantas, pero el terror me impedía moverme. No sé cuánto tiempo pude permanecer así. Mi madre me encontró metido en la bañera, en un estado de semiinconsciencia. Al día siguiente tenía una fiebre altísima y llamaron al médico. Me dijeron que me había levantado sonámbulo a causa de la fiebre, pero yo sabía bien que no era así, y que era aquella sombra la que me había provocado la fiebre y el delirio.

El ambiente se me hizo tan irrespirable que empecé a salir de casa. Me iba con los chicos del pueblo, o si estaba en Valladolid me entretenía a la salida del colegio y no regresaba hasta la noche. Una vez, incluso, mi padre estuvo buscándome con una patrulla de la policía.

Mi madre se desesperaba, y a mi regreso me abrazaba con una intensidad absurda, injustificable, como si realmente hubiera llegado a pensar que no me volvería a ver.

—Me vas a volver loca. Terminarás por matarme.

Fue entonces cuando empezó con aquellos dolores de cabeza. Eran dolores terribles que la obligaban a permanecer en la cama, y que ningún medicamento lograba calmar. Había que mantener las persianas entornadas y la casa en penumbra. El más leve ruido la hacía gemir de dolor.

Yo me había hecho amigo de unos chicos del barrio y apenas paraba en casa. Les esperaba asomado a la ventana y ellos me hacían señas desde la calle. Cuando regresaba ya era de noche. Luego me sentía culpable, pues estaba convencido de que los dolores de cabeza de mi madre estaban causados por mi comportamiento. Pero cuando mis amigos volvían a llamarme no podía evitar irme con ellos. No soportaba estar en aquella casa, ni, sobre todo, quedarme a solas con mi madre y tener que presenciar una vez más el espectáculo de su dolor.

Mi padre salía a veces en mi defensa.

—Déjale; no puedes tenerle eternamente pegado a tus faldas.

No es que yo quisiera separarme de mi madre; si huía de su lado era por el clima angustioso y enfermizo que reinaba en casa, y por el terror a que mi hermano Ángel pudiera aparecer. Es más, amaba a mi madre de una manera tan absorbente que apenas podía pensar en otra cosa que en ella. Recuerdo que a menudo entraba en su cuarto y abría su armario para ver y oler todas sus cosas. Su ropa interior, sus vestidos, sus zapatos, sus bolsos y sus joyas. Aquellas cremas que tenía sobre la cómoda, el lápiz de labios, el esmalte con el que se pintaba las uñas, los pequeños frasquitos de perfume. Incluso recuerdo haberme metido alguna tarde en ese armario, al amparo de esos objetos y esos olores, convencido de que allí no podía pasarme nada malo.

Ese mundo era también el de la cocina, que era el único sitio de la casa en que mi madre se olvidaba a veces de su sufrimiento. Se reunía allí con Carmen o Sofía y otras mujeres que pasaban ocasionalmente por casa, la costurera, las chicas más jóvenes, y hablaban y reían sin parar. Había un cuarto que se comunicaba con la cocina y yo las observaba escondido detrás de la puerta. Mi madre participaba activamente en la conversación y yo la miraba extasiado, preguntándome por qué esa felicidad no podía quedarse ahí, cuando ella estaba con mi padre y conmigo. Y odiaba a mi hermano porque me parecía que la había hechizado.

Una tarde escuché voces y risas en la cocina y me acerqué a ver qué pasaba. Mi madre estaba con Sofía, con la costurera, y con una antigua criada que había venido a verla con su hija adolescente. También estaban las colchoneras, que habían venido a varear la lana. Eran bajas y rechonchas e iban vestidas prácticamente igual, con ropas oscuras y pañuelos que les cubrían el pelo. Una de ellas llevaba la voz cantante. Acababa de contar algo y todas se estaban riendo. Animada sin duda por aquel clima de confidencias, mi madre se puso a contar una historia. Era una historia que yo no le había oído contar nunca, y que enseguida captó la atención de todas las mujeres. Era algo que le había sucedido de joven. Ella vivía en Zamora y por un tiempo había trabajado de dependienta en una joyería. No necesitaba hacerlo, pues mis abuelos tenían un hostal que les permitía vivir con holgura, pero mi abuela se lo había pedido porque el joyero era hijo de una amiga suya. Su mujer, a pesar de su juventud, tenía una extraña enfermedad que la iba paralizando. En aquel entonces estaba en una silla de ruedas, y el joyero, que era un alma de cántaro, se ocupaba de atenderla. Debajo de la casa estaba la tienda, pero la chica que despachaba se había despedido súbitamente y mi madre fue la encargada de sustituirla mientras el joyero encontraba una solución. Al principio todo fue bien. Mi madre le ayudaba en la tienda, pero enseguida empezó a hacerlo también con su mujer, que dependía para todo de la ayuda de los demás y que tenía un humor endiablado. A veces la hacía llorar con sus exigencias, pues la desgracia nos vuelve malvados. Estando en la tienda mi madre empezó a observar que el joyero la miraba más de la cuenta. Si tenía que subir por algo, el joyero se acercaba discretamente a las escaleras para mirarle las piernas; si llevaba una blusa ajustada no le quitaba ojo de los pechos.

Pero lo hacía sin malicia y sin poder ocultar la zozobra que le causaba, como les pasa a los niños con sus pensamientos más secretos. Se le veía que no podía más, y que estaba agobiado con la vida que le había tocado en suerte. Además, tenía una cara muy dulce y a ella le gustaba mucho cómo la miraba, porque sus ojos le recordaban los ojos bondadosos y lánguidos de los terneros.

La joyería tenía una cámara de seguridad muy amplia, como una habitación. Muy cerca de allí había un monasterio en cuya capilla se guardaba la Virgen más querida de la ciudad, y ese año las monjas habían decidido que su tesoro, que había ido creciendo con las aportaciones de sus numerosas devotas, necesitaba ser restaurado y limpiado a fondo, por lo que le habían pedido al joyero que lo hiciera. El joyero se metía en la cámara de seguridad y ella le oía trabajar en ese tesoro desde la tienda. Una tarde, cuando llegó la hora del cierre, mi madre le llamó a la cámara para despedirse, y el joyero le contestó que le esperara. Enseguida oyó los engranajes de la puerta y le vio aparecer. La piel de sus manos y de su cara parecía espolvoreada de harina, pero los ojos le brillaban como si tuviera fiebre. «Pasa, le dijo, tengo que enseñarte algo.» Había terminado de limpiar el tesoro de la Virgen y las joyas brillaban sobre la mesa como brasas. «Espera», continuó y fue a la puerta de seguridad y la cerró. Luego cogió aquel manto lleno de piedras preciosas y se lo puso a mi madre sobre los hombros, para continuar enseguida con las otras joyas, los collares, los anillos y finalmente la corona y el cetro, que puso con delicadeza en sus manos. Mi madre no sabía qué hacer. Estaba asustada, ya que aquello no le parecía bien, pero se sentía como embrujada por el brillo de las joyas y por la imagen de sí misma que veía reflejada en el espejo. Nunca pudo saber cuánto tiempo permanecieron así pero, de pronto, el joyero se arrodilló ante ella y abrazándose a sus piernas le pidió que se fueran juntos. «Vámonos de aquí, ahora mismo. Escapémonos —le dijo en un estado de gran agitación. Y añadió—: He limpiado estas joyas para ti.» Sorprendida por aquel ofrecimiento sacrílego, mi madre se separó bruscamente de él, y después de quitarse el manto y las joyas, le pidió que abriera la puerta de la cámara. El joyero no opuso resistencia y ella huyó, negándose a volver por la joyería. No se lo dijo a nadie porque el joyero le daba pena. Le daba pena que tuviera que vivir con aquella mujer extraña y despiadada y porque, cuanto más pensaba en lo que había pasado, más le conmovía la idea de que aquel hombre, que era sumamente religioso, hubiera estado dispuesto a condenarse para toda la eternidad, pues no otra cosa habría supuesto el robo del tesoro sagrado, con tal de conseguir su amor.

La historia causó un gran regocijo en todas las mujeres y enseguida hubo una larga conversación en la que pasaron a comentar lo que cada una habría hecho en una situación así. Esa noche, cuando mi madre fue a darme el beso de despedida, la retuve un instante y le dije que las había estado espiando.

—Nunca me habías hablado de ese tesoro —le dije, con una actitud de reproche.

—Ah, bueno, me olvidaría —me contestó como quitando importancia al asunto, mientras volvía a arroparme para que no pasara frío. Tenía los párpados levemente hinchados y supe que había estado llorando otra vez.

Entonces sentí rabia de que siempre estuviera llorando y de que mi hermano Ángel siempre estuviera interponiéndose entre los dos, y le pregunté:

—¿Por qué no te fuiste con él?

—¿Con quién?

—Con el joyero.

—¿Cómo iba a hacer eso...? Aquellas joyas eran de la Virgen.

—Pero la Virgen está muerta, y a los muertos todo les da igual.

No pensé en lo que decía. Estaba harto de aquellos rezos, de arrodillarme pidiendo que todo cambiara, que cesara aquel dolor, y de descubrir que todo continuaba como el primer día. No quería ir a la iglesia ni volver a rezar nunca, no quería que mi madre volviera a hablarme de mi hermano ni, sobre todo, verla sufrir eternamente por su causa. ¿Para qué teníamos que vivir pendientes de los muertos si a ellos no les importaba lo que nos pasaba?

—Oh, ¿por qué dices eso? —me contestó mi madre, con el rostro contraído en una mueca de dolor—. La Virgen no está muerta; ella nos protege, nos ayuda. Es lo único bueno que hay en esta vida. Sólo que no puede atendernos a todos, somos demasiados pidiendo cosas sin parar.

Pero vi en sus ojos que en realidad me estaba pidiendo perdón. Perdón por no haber podido olvidar a mi hermano y que por su causa hubiera transformado la vida de aquella casa en un infierno.

—A partir de ahora todo será distinto —me dijo, mientras las lágrimas corrían por sus mejillas—. Te lo prometo.

Se metió conmigo en la cama y empezó a besarme.

—Duerme, duerme —murmuraba.

Pero luego se incorporó un poco, y acercando tanto sus labios a mi oído que me hizo cosquillas al moverlos, me dijo:

—No se lo cuentes a tu padre.

—¿Qué?

—Lo del joyero. Tiene que ser nuestro secreto.

Dijo esto con una sonrisa extraña, que no le había visto jamás. Una sonrisa de chica mala, como si estuviera diciendo: «Os estoy engañando a todos». Estaba muy guapa y me quedé dormido abrazado a su cuello.

Recordé esa sonrisa mientras terminaba de desgranar los últimos guisantes. Mi madre se había puesto a preparar arroz con leche y estaba ante el fuego dando vueltas y vueltas a la cazuela. Traté de imaginarme cómo tenía que haber estado con aquel manto lleno de piedras preciosas.

—¿Te acuerdas de la historia del joyero? —le pregunté.

Los guisantes reposaban sobre la mesa, como el tiempo detenido del ayer.

Ella se echó a reír.

—¡Vaya con lo que sales ahora! Me ofreció el tesoro de la Virgen, y tú me dijiste que tenía que habérmelo quedado, ¿te acuerdas?

Continuó dando vueltas al arroz con leche. La cocina olía a canela y a ralladura de limón.

—¿Y sabes una cosa? —añadió de repente.

Se volvió con la misma sonrisa de entonces cuando, después de acostarse a mi lado, se quedó plácidamente dormida.

—A lo mejor lo hice. A lo mejor acepté aquel tesoro.

Al día siguiente me acompañó a la parada del autobús. El autobús llegó con retraso y estuvimos esperando un buen rato. En el pueblo todos nos conocían, y nos saludaban al vernos. Las mujeres, sobre todo, se detenían para hablar con mi madre. Si tenían niños se los enseñaban orgullosas. Presumían de ellos como si fueran pequeños corderos. Cuando por fin llegó el autobús, mi madre me abrazó con fuerza en la puerta. Ella sabía que me avergonzaba, pero le gustaba que todos estuvieran al tanto de su amor, como esas personas a las que, al pagar, les gusta mostrar una cartera llena de billetes.

Luego la vi desde la ventanilla agitando la mano y me pregunté qué había querido decirme con lo del tesoro. Puede que hubiera concedido al joyero más de lo que estaba dispuesta a reconocer, o que quisiera fingirlo así porque ahora se arrepintiera de no haber llegado más lejos. Los tesoros eran como aquellos pensamientos sustraídos al paso de los días y las estaciones: sólo permaneciendo ocultos conservaban su poder. Lo malo es que no sabías para qué servía ese poder, como pasaba con las promesas robadas en las tibias noches del verano.

4

El restaurante elegido por Eva estaba situado sobre una pared rocosa al borde del mar. Desde su terraza se veía la playa de San Juan. El edificio conservaba el viejo sabor de las casas de veraneo de los años veinte. Era de ladrillo y tenía una amplia torre cuyas ventanas daban al mar. Un enorme pino se elevaba por detrás del tejado como una figura protectora. Cuando llegué ya había oscurecido y las farolas iluminaban la arena blanca. La fachada principal estaba cubierta de buganvillas, con sus flores leves y moradas, que se mecían en la brisa con un rumor de papel.

La cita era a las diez, pero me había adelantado cerca de una hora. Esa tarde no había ido al Palacio de Congresos, pues los trabajos que se presentaban no me interesaban gran cosa, y después de una buena siesta me había acercado al puerto. Los barcos deportivos flotaban sobre la superficie del mar, con sus mástiles desnudos, como escuetas antenas. Daban una impresión de abandono y aburrimiento, como si sus dueños se hubieran cansado de ellos al poco de tenerlos. «Ya lo ves, ahora no sabemos adónde ir.» Las gaviotas sobrevolaban el muelle buscando restos de alimentos. Tenía en el bolsillo la nota de Eva, proponiéndome la hora y el lugar de la cita. El recepcionista acababa de dármela en el hotel, y había estado un rato mirando la letra redonda y limpia de Eva, en la que aún parecían perdurar los hábitos escolares. No era una dirección muy completa pero el recepcionista no dudó cuando le pregunté. El restaurante se llamaba La Cuchara de Oro.

—Está en la carretera de San Juan —me dijo.

Aún tenía el coche que había alquilado esa mañana y, después de volver a ducharme y vestirme cuidadosamente, me fui en esa dirección. Estaba anocheciendo. La carretera seguía la costa haciendo amplias curvas y su superficie recién asfaltada brillaba bajo la luz de los faros. Al fondo se veía el gajo de la luna y la línea levemente combada del mar. Pensé en Eva y en la sorpresa que había supuesto para los dos aquel encuentro. Habían pasado muchos años, pero no me había costado reconocerla. Es más, hasta su corte de pelo era muy semejante al del verano en que nos habíamos conocido. Pensé que sería lo primero que le diría, que seguía conservando ese mismo corte de pelo.

Había perdido de vista al mar, pero enseguida volvió a aparecer. Esta vez tan cerca de mí que parecía imposible no precipitarse en él. El agua temblaba levemente por efecto de la brisa, como una inmensa lona, y en el último momento la carretera doblaba a la izquierda siguiendo las lindes de un pinar. Allí empezaba la línea interminable de chalets. Muchos de ellos tenían las luces encendidas, eran pequeñas manchas doradas en la noche. El reflejo de esa luz me trajo el recuerdo de las verbenas en las piscinas Samoa, de la música que escuchábamos a todo volumen por los altavoces, y de los chicos y chicas que, entre canción y canción, venían a la barra para pedirnos polos y refrescos, con la respiración aún entrecortada por los ritmos del *rock* y el *twist*, que eran las músicas de moda. Y sin embargo, yo no podía evocar aquellas escenas, y el mundo de excitantes sensaciones relacionadas con ellas, el olor a colonia, el brillo de los cabellos recién lavados y de las pieles bronceadas de las chicas de nuestra edad, de aquellos vestidos tan leves que bajo el embrujo de la música parecían a punto de desprenderse de sus cuerpos y salir volando hacia el río, sin repetirme una y otra vez que no podría llamar a Alberto a mi regreso para contarle aquel encuentro con Eva. Es verdad que en los últimos años apenas nos habíamos visto, y que la vida, como suele decirse, nos había llevado por caminos distintos, pero una cosa así habría merecido esa llamada. Alberto no sólo había estado enamorado de Eva, sino que, a juzgar por el relato que tras su muerte me había hecho su mujer, había permanecido extrañamente fiel a los recuerdos de aquel verano hasta el final de sus días. Y aún recordaba la expresión con que su guapa mujer me había entregado tras su muerte aquella fotografía en la que se nos veía juntos a los tres, y de la que Alberto no se había desprendido nunca. Pero, en fin, mi amigo ya no estaba en el mundo y me pregunté si Eva lo sabía. Lo más probable era que no. Eva no había vuelto por Valladolid, y no era fácil que ninguna de sus conocidas de entonces le hubiera hablado de alguien que en realidad nunca había existido para ellas. Puede que ni siquiera se hubieran enterado de su fin en aquel trágico accidente en la fábrica en que trabajaba, pues pertenecían a mundos que nada tenían que ver entre sí.

Aparqué frente al restaurante. Sus escaleras de barro cocido descendían suavemente hasta el camino, cálidas como un manto. Las barandillas, de inspiración modernista, representaban dos sinuosos reptiles. Me bajé del coche y me quedé mirando aquellos animales, sus cuerpos llenos de escamas coloreadas y sus bocas rojas y abiertas, que sin embargo transmitían una impresión protectora. A la derecha, tres esbeltas palmeras alzaban sus hojas deshilachadas como barbas de ancianos y, más allá, un grupo de árboles agitaba suavemente sus ramas, en las que se hacía más profunda la noche. Miré mi reloj y respiré con alivio al comprobar que aún me quedaba media hora para mi cita. El restaurante tenía un pequeño bar y me encaminé hacia el mostrador. Era como uno de esos ladrones que visitan anónimamente las oficinas del banco donde darán un golpe para poner al día los últimos detalles de su plan. Me sorprendí pidiendo un whisky, lo que casi nunca hacía. Las cristaleras se abrían a un patio interior, con un estanque en su centro. Me dirigí hacia él, llevando el whisky en la mano, mientras miraba atentamente a mi alrededor, aprobando cuanto me encontraba: las leves arcadas de ladrillo, las macetas llenas de pequeñas rosas, los azulejos azules de las paredes y la tenue penumbra que movía a la ensoñación y a las confidencias. El estanque estaba cubierto de plantas acuáticas, y bajo las grandes hojas redondas se percibía el pausado movimiento de los peces, como los discretos guardianes del jardín. Un poco más allá había un perro. Estaba tumbado junto a una de las columnas del patio y levantó la cabeza al verme, atento al menor de mis movimientos. Me acerqué a él y lo estuve acariciando. Se entregó a mis caricias como si no necesitara entender quién era ni por qué hacía aquello. Ésa era la cualidad esencial de los niños y los perros: amar lo que tenían más cerca.

Pensé en la Eva que había conocido y la vi ante la toalla del cojo Óscar. Aquella tarde se había acercado a Óscar y se había ofrecido a guardarle la pierna mientras él se iba a bañar. Los otros chicos siempre andaban como moscones a su alrededor, y la semana anterior habían llegado a robársela. Por eso Eva se ofreció para cuidársela mientras el chico se bañaba. La veía sentada en la toalla, vigilando que aquellos ladrones no se acercaran más de la cuenta. Todos éramos ladrones de cuerpos. Vivíamos intercambiando pedazos, segmentos corporales. Tarde o temprano, acabábamos por tener en nuestras casas una cuba como la de Barba Azul.

—¿En qué piensas?

Eva estaba a mi lado y, al alzar la vista, la vi sonreír.

—Te sorprendería —acerté a contestar.

—A eso he venido, a que me sorprendas.

El restaurante tenía otra entrada por el patio y Eva se había acercado sin que me diera cuenta. Todas mis precauciones habían sido inútiles. Me levanté y la besé en las mejillas. Tenía la piel muy fresca, como si acabara de salir del agua. Se fijó en mi vaso de whisky.

—¿Es whisky? —me preguntó.

—Sí, ¿quieres uno?

—Prefiero vermut.

Hice un gesto al camarero, que vino poco después. Traía una enorme bandeja y sus movimientos eran lentos y trabajosos, como si cargara algo que sólo él parecía percibir. Teníamos los mismos ojos pero veíamos cosas distintas.

—La señora quiere un vermut.

—Blanco, por favor —añadió Eva, mostrando al sonreír unos dientes pequeños y uniformes. Llevaba una falda negra, con grandes flores blancas y una chaqueta muy ceñida de punto. No se había abrochado el último botón y se veía el nacimiento de sus pechos. Sobre la piel desnuda llevaba una cadena de oro con una pequeña cruz. Recordé lo que había oído comentar a mis compañeros de departamento, acerca de que su marido era uno de los jefazos del Opus Dei en Pamplona.

—¡Cuánto tiempo, ¿verdad?!

Nos habíamos sentado frente al estanque y me volví para mirarla. No la recordaba tan morena. Su pelo, cejas y ojos, intensamente negros, parecían formar parte del mismo mundo de sombras y presentimientos que el jardín. Se había maquillado y perfilado los labios, pero tan discretamente que apenas se notaba. «Lo ha hecho por mí —pensé—, para esta cita.» Era una noche de luna llena, con una luz tan clara que bastaba para leer. Sentados en los escalones de la terraza, escuchábamos el ajetreo de los pájaros insomnes, el entrechocar de los platos en la cocina, o la triste sirena de una ambulancia lejana. El camarero acababa de preparar las mesas del comedor y me pregunté cómo nos vería desde allí. Nuestra noche romántica sólo era para él un fastidio más.

Escuchamos el croar de una rana y enseguida el ruido de su zambullida.

—¡Es increíble! ¡Hay ranas! —exclamó Eva, levantándose y tendiéndome la mano para que se la cogiera, en un gesto cuya espontaneidad me sorprendió.

Nos acercamos casi de puntillas. Una rana asomaba su cabeza bajo las hojas de una de las plantas acuáticas. Enseguida otra más pequeña nadó hasta ponerse junto a ella. La luz del patio se reflejaba en sus ojos desorbitados, donde aún parecían guardarse los ecos de aquellas profundidades desconocidas, la memoria de las formas secretas de las cosas que se deslizaban por la oscuridad.

—¿Te acuerdas de *Sólo se vive una vez*?

No sabía a qué se refería.

—La vimos juntos. Tú estabas con Alberto, ¿te acuerdas?, y yo entré con mis amigas. Fue en un teatro que había junto a aquel parque tan bonito, donde estaban los pavos reales.

—El teatro Pradera.

Eva me miró como esos pajarillos a los que se engaña con una linterna.

—La película era en blanco y negro y era una de esas historias de amor entre un ex presidiario que trata de rehabilitarse y una guapa abogada. Se casan y van a pasar su luna de miel a un pequeño hotel, donde hay un estanque como éste y se quedan mirando las ranas. La chica le dice que ha leído en algún sitio que las ranas se emparejan para siempre y que cuando una muere, la otra no tarda en hacerlo. Y es eso lo que pasa al final de la película. El ex presidiario vuelve a ser detenido, acusado de un crimen que no ha cometido, y cuando por fin llegan las pruebas de su inocencia ya es demasiado tarde. Ha conseguido escapar con ayuda de su mujer, pero en su huida mata a un hombre dando lugar a un angustioso drama de amor y dolor, en el que ambos terminan muriendo. Al acabar la película vosotros nos estabais esperando en la calle y estuvimos paseando un rato por la ciudad, hasta llegar a la plaza Mayor. Había un gran barullo, pues un hombre se iba a tirar en paracaídas desde lo alto de una casa. No me digas que no te acuerdas…

Me encogí de hombros.

—No lo entiendo, los hombres nunca os acordáis de nada. Anunciaba Licor 43, y después de saludar desde el tejado, levantando las dos manos, se arrojó al vacío y su paracaídas se abrió como una flor. Una flor gigantesca que caía del cielo mientras se oían los aplausos de todos. Pero yo seguía pensando en aquella pareja tan infeliz y en la razón de que todas aquellas películas que tanto me gustaban terminaran tan mal. Me preguntaba si siempre tenía que ser así y si a mí también me pasaría lo mismo.

Eva se quedó un rato pensativa, absorta en su propio destino secreto, y luego añadió, volviéndose hacia mí:

—Es extraño, la gente a la que une el amor.

Nos quedamos mirando las copas oscuras de los árboles. Eva no aparentaba la edad que tenía y en la limpia línea de sus labios aún parecía vibrar el misterio de los vestidos blancos en los paseos de los parques, de aquellas tardes de la adolescencia en que las puertas oscuras parecían abrirse a jardines encantados.

Un camarero se acercó para decirnos que ya estaba preparada nuestra mesa y que podíamos ir cuando quisiéramos.

—Anda, vamos —me dijo—. Has sido un cielo aceptando mi invitación. ¡Tenemos tanto de que hablar!

Se agarró a mi brazo como abrigándose, acoplándose a mí con una serie de pequeños reajustes, como si se dispusiera a estar así todo el tiempo que hiciera falta.

Cuando nos sentamos, tendió su mano sobre el mantel para tomar la mía. Me di cuenta de que se había quitado la alianza que llevaba puesta por la mañana.

—¿Qué quieres cenar? —me preguntó.

—Prefiero que elijas tú.

—Pues entonces, arroz… Es la especialidad de la casa.

El comedor estaba suavemente iluminado, y las fotografías de las paredes eran casi todas de boxeo. Había en el centro una vitrina llena de trofeos.

—El dueño fue campeón de España. Es este de aquí —me dijo, señalando una de las fotografías.

Le acompañaban otros boxeadores. Todos estaban en calzón y llevaban los guantes puestos, como si fueran una secta. Las manos abultadas y negras y sus rostros ceñudos parecían hablar de graves asuntos que afectaban al destino de todos los hombres. «Alguien tiene que ocuparse de esto», parecían decir.

Eva me explicó que el dueño había tenido una carrera meteórica hasta que otro boxeador —me fijé en que era Luis Folledo— se cruzó en su camino. Folledo le arrebató el campeonato de España en un combate en el que se pegaron una paliza impresionante, y decidió retirarse y abrir aquel restaurante.

—Supongo que esa decisión fue su mayor victoria —añadió con una sonrisa.

Eva se llevó la copa de vino a los labios y su aliento empañó levemente el cristal. Sentí el deseo de tender la mano para tocárselos.

—Mira —continuó, señalando una vitrina que colgaba de la pared—, ése es el cinturón que le dieron cuando ganó el campeonato.

Supe que aquellas fotos eran la razón de que me hubiera llevado allí. Lo había hecho porque se acordaba del gimnasio Uzcudun y de nuestra afición al boxeo. De las veladas en las piscinas y de nuestra amistad con Serafín Parra, el Centella, y su aventura con aquella actriz.

—¿Te acuerdas de cuando te disfrazaste de chico?

—Sí, claro. Fue uno de los actos más osados de mi vida.

—El entrenador se dio cuenta y al día siguiente nos llamó al orden. Estaba muy serio y ni siquiera levantó los ojos de los papeles que estaba mirando. Nos dijo que no quería que aquello se volviera a repetir, las chicas no podían entrar en el gimnasio. Pero luego, cuando terminaron los entrenamientos, coincidimos en la puerta y nos preguntó cómo te llamabas. «Esa chica tiene algo especial —murmuró sentencioso—; no la dejéis escapar.»

—¿De verdad os dijo eso?

—Sí, pero ya lo ves, no le hicimos caso y te dejamos escapar.

Empleé el plural sin darme cuenta, como si Alberto estuviera sentado con nosotros a la mesa y se tratara de una reunión de la vieja pandilla. Miré a Eva y me di cuenta de que también estaba pensando en Alberto.

—¿Sabes lo de Alberto? —le pregunté.

—Sí, me enteré poco después. Me encontré en Bilbao con una de mis viejas conocidas y le pregunté por vosotros. Me contó que tú eras médico y que Alberto acababa de morir en un desgraciado accidente en la fábrica en que trabajaba. Habían pasado un montón de años y sin embargo me eché a llorar como una tonta. Ya sabes por qué.

Me sorprendió la naturalidad con que soltó estas palabras, como si ya no tuviera nada que ocultar porque Alberto no podía escucharla. ¿No se decía eso en el Eclesiastés?: «Los muertos no saben nada».

—También él estaba enamorado de ti.

—No, eso no es posible.

—¿A qué te refieres?

—Le escribí una nota proponiéndole una cita, pero no se presentó.

Dijo esto como si lo que lamentara no fuera el pasado perdido, sino el futuro perdido, no lo que había sido, sino lo que nunca iba a ser.

—Me dejó plantada —insistió Eva, temblándole un poco la voz—. Fue la primera decepción de mi vida. No entiendo por qué, si estaba tan enamorado de mí como dices, ni siquiera se despidió.

«Es más —iba a añadir—, murió sin poder olvidarte.»

Pero, en vez de eso, le dije:

—En realidad, los dos estábamos enamorados de ti. Aquel verano fuiste nuestro único tema de conversación. ¿Sabes qué decía Alberto?

Eva movió la cabeza, visiblemente emocionada. Las puertas del comedor estaban abiertas y la noche ya no era la misma: el calor se había diluido con la primera brisa del mar.

—Alberto decía que eras una superdotada y que cuando fueras mayor te iban a dar el Premio Nobel. Y creo que tenía razón, y que está al caer. De hecho, tu ponencia de esta mañana ha sido un prodigio de claridad e inteligencia. En el Congreso sólo se habla de eso.

—Por favor, no seas zalamero —murmuró, pero intuí que su mente estaba ahora muy lejos de los acontecimientos de la mañana.

Eva volvió a tomarme la mano.

—Ésa sí que ha sido una sorpresa.

—¿Cuál?

—Saber que estabas enamorado de mí.

—No era difícil —le dije, tratando de bromear, pues aquella conversación estaba empezando a afectarme más de lo que habría querido—. Llevabas el primer biquini que veíamos en esas tierras.

Se rió.

—Ah, sí. Un biquini azul, ¿verdad? Mi madre me había prohibido llevarlo, pero lo metí a escondidas en la maleta y me lo puse aprovechando que no estaba cerca para vigilarme.

—Causaste toda una revolución. Al día siguiente, en la piscina no se hablaba de otra cosa. Creo que hasta se duplicaron las entradas para verte.

—¡Qué tonto eres! Era un biquini de lo más recatado.

—Pero eras la chica más guapa que habíamos visto nunca.

Eva se pasó la mano por el pelo apresuradamente. Su piel, a pesar de la edad, aún tenía la textura de las rosas frescas y húmedas.

—No sabíamos si eras real o no. Pasábamos a tu lado y nos preguntábamos quién podía haber dejado algo tan precioso sobre la toalla.

Una débil música de baile, que venía del exterior, se mezclaba con el ruido de los ventiladores eléctricos. En un pequeño mostrador se veían las langostas sobre hielo picado, y los camareros, vestidos de negro, con su actitud grave, parecían gente de luto que se afanara en disponerlo todo para el velatorio. El comedor casi se había llenado. Era extraño que toda esa gente estuviera allí sin manifestar inquietud o desconfianza alguna, a pesar de no saber nada los unos de los otros.

—¿Te casaste? —me preguntó Eva.

Sus ojos, casi negros, brillaban con una luz intensa y apasionada. «Quién decía —pensé sin dejar de mirarla— que no se puede estar dormido y despierto a la vez, que no se puede ser feliz y desgraciado al mismo tiempo.» La mesa de al lado estaba llena de muchachas que no dejaban de hablar y moverse, como si estuvieran recibiendo señales.

—Me acabo de separar —respondí—. Bueno, en realidad, fue mi mujer la que me dejó plantado. Estuvimos doce años juntos.

—Oh, perdona. Siento mucho haber sido tan indiscreta.

Se sonrojó levemente. Sus ojos ardían perturbadores, con una luz aún no explorada.

—No, por favor. No me importa hablar de ello. ¿Sabes una cosa? Lo más extraño es que no me importó en exceso. Es curioso la facilidad con que una persona puede salir de tu vida.

—No digas eso, por favor.

Pero era verdad. Mi mujer y yo llevábamos doce años juntos y me sorprendió que su marcha, anunciada de un día para otro, no me hiciera más daño. Que de pronto me preocuparan más los pequeños trastornos prácticos que aquel cambio iba a suponer en mi vida —cómo se lo diríamos a los vecinos, quién se quedaría con la casa, qué tendría que decirles a los que me preguntaran— que el hecho en sí de verla salir de mi vida para siempre.

—Chesterton solía decir —continué dando un giro a mi conversación— que todo lo que había en el mundo era como el despojo romántico del barco de Robinson. El que hubiera dos sexos, que el sol saliera cada mañana, o que existiera la buena comida o el vino tinto puede que no fueran grandes cosas, pero era lo que teníamos. Todos los bienes del mundo eran despojos que había que guardar y esconder como reliquias de una gran ruina original. Y ¿sabes una cosa?

Eva me miró interrogante, deseosa de que continuara.

—Tú y Alberto siempre formasteis parte de esos bienes salvados del naufragio.

—¿Junto al monstruo de la laguna negra?

Me reí con ganas.

—Sí, también está el monstruo en la lista. Todas las historias que merecen la pena lo tienen, ¿no te parece?

—¿Tienen qué…?

—Un monstruo. Nos empeñamos en huir de él pero deberíamos aprender a escucharlo. Tal vez sólo quiera un poco de comprensión.

Eva me miró con una expresión divertida. Uno de los camareros se había acercado a la mesa y se dirigió a ella:

—¿Eva Arrizabalaga?

Asintió con la cabeza y el camarero le dijo que la llamaban por teléfono.

—Perdona —murmuró, levantándose—. Debe de ser mi marido. Le dije que me llamara aquí, que estaría cenando con mis compañeros.

Se había limpiado los labios antes de levantarse y dejó en la servilleta una leve marca de carmín. La vi cruzar vacilante el comedor y dirigirse hacia el vestíbulo. Antes de desaparecer se volvió un momento y me hizo un gesto con la mano. «No estás con tus compañeros —pensé—, sino conmigo. Has mentido, y tus correligionarios te condenarán a la hoguera.»

No podía entender cómo una persona como Eva estaba en una organización como aquélla. Eso, al menos, era lo que me habían dicho mis compañeros de departamento cuando había visto su nombre entre los participantes del congreso: que trabajaba en el hospital que el Opus tenía en Pamplona. No sabía demasiado de esa institución, pero sí lo suficiente para darme cuenta de que no me gustaban los que pertenecían a ella. Su fundador había muerto años atrás y sus adeptos presionaban al Vaticano para que le hicieran santo. Hace poco había visto en la televisión un antiguo reportaje en que se le veía dirigiéndose a una multitud de fervorosos adeptos, y me pareció hipócrita y orgulloso. Su corazón le decía que era superior a esa gente y no podía soportar que ellos no lo supieran.

La música que venía de la playa había cesado y, amortiguado por las conversaciones en el restaurante, volví a escuchar el croar de las ranas del estanque. No me acordaba de la película del ex presidiario que había mencionado Eva, pero sí de una tarde en que Beatriz y sus amigas nos dejaron plantados por algo que había dicho Alberto. Alberto quiso que fuéramos a Los Lagartos, para ver si estaba Serafín, pero yo me encontraba de mal humor y le dije que prefería volver a casa. Las copas de los árboles se elevaban sobre nuestras cabezas amenazantes como oscuros presagios. Estaba enfadado con él, pues me parecía que por su culpa las chicas ya no querrían volver a saber nada de nosotros. No sabía lo equivocado que estaba, ni que las palabras de Alberto habían tenido en Eva justo el efecto contrario. Con las mujeres nunca podías estar seguro de nada.

Llegamos a la plaza, donde nos despedimos. Era una plaza amplia y abierta y enfrente se veía la Academia de Caballería. En el centro, rodeada de parterres llenos de flores, estaba la estatua del poeta José Zorrilla, que había nacido en nuestra ciudad. «Si supierais las cosas que he visto desde aquí», parecía estar diciendo. Valladolid siempre había estado del lado nacional, y los republicanos sólo la bombardearon una vez. Las bombas cayeron en esa plaza y mataron a varios niños, pues cerca había una escuela. La tía Goya se refería a menudo a aquellos hechos que esgrimía como un ejemplo más de la ciega brutalidad de los rojos. Pero aquella guerra había pasado a ser una noticia lejana, y la cuestión que hacía vibrar ahora a los vallisoletanos era quién iba a ganar el próximo partido de fútbol. Las cocinas se llenaban de electrodomésticos, empezaban a aparecer en las calles los primeros semáforos, y la televisión, con sus concursos y sus series americanas, se había convertido en el centro indiscutible de la convivencia familiar.

Pero, en aquel entonces, poco tiempo tenía yo para ese tipo de convivencia. Me pasaba toda la mañana en la academia y a las dos me reunía con Alberto en la piscina. Mi padre había hablado con Nacho Castro, el encargado, y me obligaba a subir a la oficina después de comer para que estudiara un par de horas. No me resultaba fácil concentrarme en los libros. Escuchaba la música por los altavoces y me bastaba con asomarme a la ventana para ver el rectángulo transparente del agua, que bajo la fuerte luz del sol brillaba como una sustancia gelatinosa. Eva me venía a ver con frecuencia. Lo hacía comiendo un polo y se sentaba enfrente de la mesa. Eva estaba en el mismo curso que yo y solía ayudarme con los problemas de matemáticas. Tenía mucha mano con los niños, y un día se presentó seguida de varios de ellos. Traían unos gatitos que habían encontrado junto a la tapia. Eran recién nacidos y estaban cubiertos por unas extrañas babas blancas. Alberto y yo los llevamos a la oficina de Nacho Castro, pero éste, al verlos, nos pidió que nos desembarazáramos de ellos por temor a que pudieran transmitirnos alguna enfermedad. El asunto se transformó en una pequeña tragedia. Alberto y yo nos dirigimos al río dispuestos a tirarlos al agua pero, en el último momento, la imagen de aquellos gatitos arrastrados por la corriente y de su terrible sufrimiento mientras se ahogaban nos hizo cambiar de opinión. A Alberto se le ocurrió que la mejor forma de acabar con ellos era arrojarlos contra una pared de hormigón. No sufrirían apenas, pues bastaría un solo golpe para matarlos. Mejor hubiera sido no haberlo intentado, pues pronto comprobaríamos por qué solía decirse que los gatos tenían siete vidas. Fue una escena de película de terror. Los arrojamos con todas nuestras fuerzas una y otra vez contra la pared, pero los gatos seguían vivos. Terminamos abandonándolos en un tejado y escapando estremecidos, mientras escuchábamos a nuestras espaldas sus agudos maullidos. Al día siguiente, cuando Eva nos preguntó por los gatos, le confesamos con pelos y señales lo que había pasado. Supongo que necesitábamos su absolución. Fuimos a la casa abandonada, pero los gatos no estaban por ningún lado. Puede que otros animales se los hubieran comido, puede que aprovechando una de las vidas que aún les restaban hubieran escapado arrastrando sus huesecillos rotos y aún estuvieran agonizando en alguno de los escondites del río, en medio de espantosos dolores.

El mundo era un lugar extraño y ninguno de nuestros actos tenía asegurada la consecución del bien. Tampoco podían preverse las consecuencias de nuestras acciones y una de esas noches empezó a escribirse la tragedia. Alberto estaba sumamente excitado cuando, al día siguiente, me contó lo que había pasado.

—No te lo vas a creer —me dijo, con una expresión de locura.

Lo que me contó me dejó perplejo: Serafín Parra, el Centella, no sabía ni una sola palabra de inglés.

—Imita el sonido, pero el resto se lo inventa. Lo hace para alimentar su leyenda.

Alberto se había encontrado con él en el bar Los Lagartos. Serafín estaba como una cuba y cuando se acercó para saludarle le echó para atrás el fuerte olor a orina que desprendían sus ropas. Vio que los pantalones estaban mojados y que a sus pies había un charco…

—Joder, Serafín —exclamó Alberto, sin poder ocultar la sorpresa—, te has meado.

Esteban, el dueño del bar, reparó en ese instante en lo que había pasado y, abandonando el mostrador, se dirigió rápido al lugar donde estaba el pobre hombre.

—No me lo puedo creer… En la banqueta, se ha meado sobre la banqueta. Esto sí que es bueno. No, si me lo tengo merecido por poner esta mierda de negocio.

Se sujetaba la cabeza con las manos, como si estuviera a punto de estallarle, y sus ojos pasaban del charco de orina al rostro de Serafín como si aún no terminara de entender la relación causal que había entre los dos. Luego se le echó encima y, cogiéndole de la camisa, empezó a zarandearlo con fuerza.

—Vete de aquí, cabrón. No quiero volver a verte por este bar.

Serafín se liberó de sus manos y, después de estirarse la camisa y permanecer unos minutos tambaleante, mirando a su alrededor, empezó a hablar en inglés. Fue la gota que colmó el vaso. Esteban le quería matar y, si los otros clientes no llegan a separarles, es posible que lo hubiera hecho.

—A mí me hablas en cristiano, hijo de puta. En cristiano, ¿has oído?

Unos clientes se llevaron a Esteban al otro extremo del mostrador y Alberto y otros cogieron a Serafín del brazo y lo sacaron en volandas. Ya en la calle, siguió murmurando cosas incoherentes en aquella lengua. Alberto se quedó con él.

—¿Te acompaño a casa? —le preguntó.

Serafín Parra negó con la cabeza, y después de fingir con un puño un directo a su mandíbula, empezó a alejarse. Alberto se propuso seguirle. Era de noche y avanzaba junto a una tapia. La luz de las farolas hacía que su sombra se proyectara dúctil y densa en el suelo, como un paño. Caminaba encorvado, arrastrando unos pies enormes, como si su cuerpo hubiera sido diseñado para moverse en otro medio. Alberto pensó que era como la criatura de la laguna negra. Había abandonado el mundo al que pertenecía y bajado a la ciudad para buscar el rastro de su amada. Un traspié estuvo a punto de hacerle caer y Alberto avanzó rápidamente hasta ponerse a su altura.

—De verdad, Serafín, no me importa acompañarte. No tengo nada que hacer.

Y Serafín Parra volvió a responderle en inglés.

Cruzaron las vías, y se detuvieron en una pequeña plaza, junto a la fábrica de azulejos, donde se sentaron en un banco. Serafín tenía la mirada perdida y, después de encender con dificultad un pitillo, continuó su incomprensible monólogo. Estaba tranquilo, y sus frases transmitían una extraña serenidad, como si aquella lengua que había aprendido a hablar junto a su amada Frances Dee le permitiera expresarse con una libertad que en la suya le era negada. Alberto se sentía arrullado por ese sonido. De pronto, y sin que pudiera saber por qué, tuvo la certeza de que se lo estaba inventando todo, que fingía hablar una lengua de la que sólo imitaba la entonación. Y entonces le contestó. Esperó a que Serafín Parra hiciera una pausa, y le respondió en aquella lengua imaginaria. Y estuvieron hablando un buen rato sin tener la menor idea de lo que se estaban diciendo.

—Te lo juro —añadió Alberto, que estaba visiblemente excitado—, fue increíble. Era como si nos estuviéramos haciendo confidencias en un idioma que sólo nosotros fuéramos capaces de hablar.

Alberto le acompañó a su casa y se despidieron en el portal. Los ojos de Serafín se llenaron de lágrimas cuando pronunció la última frase, y él regresó a su casa pensando que estaba loco de atar.

—Todo se lo inventa —concluyó—. No sé si estuvo o no en Hollywood, pero puedo asegurarte que no aprendió ni una sola palabra de inglés.

—Te estás quedando conmigo —le dije.

—Te juro que no. Que me muera ahora mismo si lo que te digo no es verdad.

No tendría que esperar mucho para comprobar que Alberto no me había mentido, pues al día siguiente Serafín Parra fue de visita a la piscina. Nacho Castro le recibió con unas muestras tan desmesuradas de cariño que Alberto y yo enseguida sospechamos que pasaba algo.

—Puedes tomarte lo que quieras, pero nada de alcohol, ¿de acuerdo?

Serafín Parra venía del hospital, de hacerse un chequeo riguroso. Llevaba una camisa blanca que le venía muy grande, pues últimamente había adelgazado mucho, y unos pantalones beis, con raya impecable; era la época del tergal.

—Estás hecho un pincel —le dijo Nacho Castro, al tiempo que le daba una palmada en la espalda.

Su rostro tenía una expresión de lejanía, como si fuera incapaz de sentir o expresar la menor emoción. Parecía un niño que hubiera envejecido de repente por algún procedimiento misterioso.

Nacho Castro lo dejó con nosotros y Serafín pidió un refresco de naranja y una lata de mejillones. Mientras se lo servía, vi a Alberto haciéndome gestos para reclamar mi atención. Luego se acercó a él y le habló en aquel idioma incomprensible.

Y lo sorprendente fue que Serafín no pareció extrañarse, ni mucho menos ver en ello una burla. Y después de asentir con la cabeza añadió:

—*Yes, my darling.*

E inmediatamente continuó hablando como si tal cosa. Alberto intervino, aprovechando una de sus pausas, y Serafín le volvió a contestar. Gesticulaba animadamente con las manos, como si estuviera narrando una escena que ahora gracias a aquella lengua regresara a él con toda la fuerza del comienzo. En ese instante me di cuenta de que Eva estaba allí. Se había acercado a comprar un polo y contemplaba asombrada la escena. Carraspeé para advertir a Alberto y éste, al verla, enrojeció de vergüenza. Le había cogido con las manos en la masa.

—¿Quieres algo? —le preguntó, casi tartamudeando.

—Un polo de limón —dijo Eva, al tiempo que extendía la mano dejando caer las monedas sobre el mostrador. Las monedas estaban mojadas, como si acabara de cogerlas en el agua. Le bastaba con sumergirse en la piscina para volver con las manos cargadas de monedas. Nacho Castro llamó a Serafín Parra desde la oficina y éste se despidió de nosotros. Se inclinó ceremoniosamente ante Eva y le dijo una frase en aquel idioma que sonó muy dulce y educada. Y volviéndose a Alberto añadió:

—*Bye, bye, boys.*

Esta vez Alberto no dudó, y le respondió, sin duda para impresionar a Eva. Luego vimos a Serafín avanzar renqueante hacia las escaleras. No parecía saber muy bien hacia dónde iba; era como esos boxeadores que a causa de los golpes llegan a olvidarse de dónde se encuentran y hasta de quiénes son.

Eva se volvió hacia Alberto.

—¿En qué hablabais?

—En inglés —le contestó Alberto.

—A ver, dime algo.

Alberto se la quedó mirando como si hubiera aislado a un raro espécimen y estuviera dispuesto a averiguarlo todo sobre él.

—No sé… ¿Qué quieres que te diga?

Eva permaneció abstraída, buscando algún motivo de inspiración.

—Me da igual. Cualquier cosa.

Alberto empezó a hablar, pronunciando lenta y sonoramente cada una de las palabras. Fingía dominar aquel idioma como si fuera su propia lengua.

Eva le miraba llena de admiración.

—¿Sabes qué significa?

—No —dijo, al tiempo que se retiraba con los dedos el pelo de las orejas.

—A veces, las buenas personas disparan a los que no lo son.

Eva esperó con ojos interrogantes.

—Es de una película de gangsters.

Creo que Alberto no era demasiado consciente del lío en que se estaba metiendo. Eva era una chica lista y estaba claro que en cualquier momento podía descubrir que la estaba engañando, pero en esos instantes se sentía demasiado embriagado por su propio éxito. Sólo era alguien pidiendo un poco más de tiempo para sentir plenamente su felicidad.

Y, en efecto, aquel día y los que le siguieron fueron los más felices del verano. Eva había logrado independizarse de Beatriz y sus amigas, y ella y Paz Zulueta venían a buscarnos todas las tardes a la piscina. Mientras nosotros terminábamos de recoger las sillas y las tumbonas, ellas nos esperaban junto al mostrador. En el tocadiscos sonaban las canciones de moda y del río nos llegaba una débil brisa cargada de misteriosos aromas. «El mundo está hambriento de belleza», parecía decir aquella música que nos arrebataba el corazón. Fue entonces cuando Alberto, imitando a Serafín Parra, empezó a coger la costumbre de hablar a las chicas en «su lengua». Se detenía y de pronto les decía algo que nunca se dignaba traducir. A veces eran Eva y Paz las que le pedían que les hablara así, pues su voz sonaba melodiosa y extraña, como si viniera de un mundo donde fuera posible vivir una vida que en nada se parecía a la que llevábamos en aquella ciudad. Una vida en la que fueran posibles innumerables comienzos.

—¿Dónde has aprendido a hablar así? —le preguntaba Eva.

—Sí, ¿dónde? —insistía Paz.

Paz nunca decía nada propio, se limitaba a estar al lado de Eva y, a lo sumo, a repetir lo que ésta decía. Era menuda y pulcra, y siempre te miraba con una expresión de susto, como si fuera una chica metida en una botella. Un chica embotellada para ser entregada a alguien cuando llegara el momento.

Alberto se había inventado una historia que se remontaba a la guerra civil. Su abuelo había tenido que abandonar España para que no le mataran y había terminado en Canadá, donde tenía un viejo amigo al que había conocido en un barco durante el tiempo en que fue marino mercante. Su madre tenía entonces quince años, y permaneció allí hasta que se casó. Cinco años justos, en los que no había dejado de cartearse con su padre, del que se había hecho novia antes de salir al exilio. Cuando decidieron casarse, ella regresó a España. Era su madre quien le había enseñado a hablar inglés.

—¿Sabes qué solía decir? —añadió Alberto mirando fijamente a las chicas—. Que el que tiene dos lenguas tiene dos almas.

Eva y Paz estaban fascinadas y él no dejaba de trufar las conversaciones con frases en aquel inglés imaginario.

Yo, cuando podía, hacía un aparte con él y le pedía un poco de prudencia.

—Alberto, te estás pasando. Nos van a descubrir.

Pero Alberto no me hacía el menor caso y a la mínima volvía a las andadas.

—Y ahora, ¿qué has dicho? —le preguntaba Eva.

—Cosas —le contestaba, haciéndose el interesante. Y Eva se ruborizaba levemente porque pensaba que era algo que tenía que ver con ella.

Nunca fuimos más felices que entonces. Después de recoger nos íbamos juntos a acompañar a Paz, que era la que tenía que volver antes a casa. Entonces, cuando ya la habíamos dejado, empezaba lo mejor. Alberto, Eva y yo teníamos aún una hora para nosotros y solíamos refugiarnos en el Campo Grande. Nos acercábamos al estanque o a la pajarera, y mirábamos los cisnes negros, las ocas y los patos payasos. O los faisanes y las gallinitas de Guinea, que tenían lunares por el cuerpo y una cabeza que parecía quemada. Cada poco nos sorprendía el espectáculo de los pavos reales y sus colas llenas de innumerables ojos. Y aunque no pudiéramos concretar el momento siempre terminábamos agarrados de la mano. A Eva le divertía correr con los ojos cerrados.

—Soy vuestra prisionera —decía, apretando con fuerza nuestras manos.

Y echábamos a correr hasta alcanzar la máxima velocidad. Eva apenas rozaba el suelo con los pies, pero aguantaba hasta el final sin abrir los ojos, lo que a nosotros nos hacía quererla más. Cuando por fin nos deteníamos, Eva, Alberto y yo nos quedábamos un largo rato mirándonos, y entonces era como si cada segundo que pasaba transportara una carga de hermosura hacia el futuro.

Pero esas cargas no llegaron a su destino, o eso era al menos lo que me decía Alberto. Estaba muy blanco y me miraba desde la muerte con aquella sonrisa tan suya en la que se mezclaban la inteligencia y la decepción. «Ya lo ves, todo se perdió por el camino; aquellos vagones cargados de belleza no llegaron a ningún sitio.» Me fijé en una de las fotografías del restaurante. Un boxeador levantaba las manos por encima de la cabeza, mientras alrededor del ring la gente aplaudía enfervorecida. Sin embargo, si te fijabas en su rostro, no le veías feliz, sino asustado. «Todo esto para qué», parecía estar diciendo.

Al alzar los ojos, vi que Eva regresaba de hablar por teléfono. Ella sí estaba feliz. Atravesaba el comedor como si estuviera a punto de cruzar un umbral que ya había cruzado en su imaginación, dejando atrás todo lo que se interponía en su camino. Antes de sentarse a la mesa se acercó hasta mí y me besó en la mejilla. Tenía los ojos agrandados por la excitación y la cara muy caliente, como si se la acabara de lavar con agua hirviendo.

—Bueno, ya está. Jaime es un encanto y siempre se preocupa por mí —murmuró con un tono de voz impersonal, como si estuviera hablando de asuntos que habían dejado de interesarla.

Jaime era su marido y me di cuenta de que la había llamado

sin otra razón que preguntarle cómo se encontraba. Eso era lo que hacían todos los buenos maridos: desear las buenas noches a sus esposas antes de apagar la luz.

—¿Cuántos hijos tienes? —le pregunté, volviendo un momento mis ojos hacia la ventana que daba al jardín.

Los árboles, que tan poco prometedores me habían parecido al llegar, se convirtieron de pronto en un muro mágico. Se había abierto en ellos un atajo que conducía al placer. Me pareció escuchar un susurro de estremecimiento.

—Tengo tres niñas. La mayor, Clara, tiene trece años y lo está pasando fatal, la pobre. Se ha vuelto insoportable y rebelde y llora por cualquier motivo; es profundamente infeliz. La segunda, Marta, tiene doce, y es todo lo contrario: una niña responsable y llena de sensatez. ¡Con decirte que colecciona mariposas! Tiene centenares y se sabe los nombres científicos de todas ellas. La pequeña es María. Creo que es la que más te gustaría, es muy fantasiosa y sensible, y le encanta leer.

Las últimas frases las dijo clavando sus ojos negros en los míos, brillantes y nuevos, como si alguien los hubiera creado la noche anterior.

—Y tú, ¿tienes hijos?

—No. Mi mujer y yo estuvimos casados doce años, pero no tuvimos hijos. Y ahora pienso que es mejor así. Habrían tenido que sufrir.

—Es verdad —dijo, sintiéndose culpable de haber sacado aquel tema, pero tratando de quitarle importancia—, los niños son los que pagan las separaciones de sus padres.

Me miró un instante, y luego bajó la vista y se puso a mirar a otro lado.

—En realidad —murmuró—, en esta vida nada es sencillo.

Podía percibir aún su oscuro secreto, el secreto que me había hecho desearla cuando era casi una niña. Podía ver cómo ese secreto entraba en sus ojos y los llenaba, desde los pómulos hasta las cejas.

—¿Te acuerdas de Serafín Parra, el boxeador? —le pregunté.

—Sí, claro. Iba mucho por la piscina.

—Hace un momento, mientras estabas hablando por teléfono con tu marido, estuve pensando en él. En la mañana en que Alberto y yo te lo presentamos. Estábamos en la piscina y él vino a vernos después de pasar por el hospital. Luego supimos que tenía cáncer, un cáncer de hígado terminal. Y no llegaría a vivir ni un mes más. Recuerdo que tú estabas con aquella chica tan rara de la que te habías hecho amiga.

—Sí, Paz —murmuró Eva sonriendo—. Era un caso.

—Alberto decía que era una extraterrestre. Que había bajado a la tierra y estaba tomando nota de lo que hacíamos los humanos para preparar el asalto definitivo. ¿Te acuerdas de su libreta?

—Sí, claro, ¡cómo no me voy a acordar! —Sonreía abiertamente, llena de impredecible felicidad. En aquella lista de bienes que Eva había salvado del naufragio estaba sin duda la alegría.

—Nunca supimos qué apuntaba en ella —continué—. Pero nos ponía a cien por hora.

—A mí tampoco me lo decía.

—Y entonces os presentamos a Serafín Parra, el Centella. Recuerdo que él, muy caballeroso, se inclinó y os besó la mano y que vosotras no sabíais qué hacer.

—En realidad no podíamos contener la risa.

—El caso es que te morías de ganas de saber más sobre él y el tiempo que había vivido en Hollywood, y te pusiste a preguntarle cosas. Serafín estaba feliz. Os habló de Frances Dee, de su amistad con Gary Cooper, y de su participación en el rodaje de *El legado de la doctora Humboldt*.

—Sí, nos estuvo contando cosas de aquel traje con el que apenas podía respirar.

—Fueron a rodar a Florida y sufrieron todo tipo de percances, ¡hasta los efectos de un tornado! El traje que llevaba para hacer de monstruo era muy pesado y tenían que andar siempre detrás de él refrescándole con una manguera.

—¿Tú crees que era verdad?

—¿Qué?

—Todo aquello que contaba.

—Tenía pruebas. Las fotografías, por ejemplo. En una de ellas se le veía vestido de chófer junto a Frances Dee, que era ciertamente una mujer guapísima. Y estaba también la garra del monstruo. Siempre que íbamos a su casa nos la enseñaba y a nosotros aquello nos parecía la prueba definitiva. Él no dejaba de hablar de aquella escena en la que el monstruo contempla a la muchacha dormida y saliendo del agua tiende su garra para acariciarla. Una tarde se puso la garra del monstruo y representó la escena ante nosotros, que le mirábamos deslumbrados. Cuando terminó estaba llorando.

Eva sonrió, enseñando sus dientes blancos y sus encías delicadas y húmedas. Por primera vez se me ocurrió la idea de que tal vez quisiera vivir una aventura conmigo. ¿Aprovechaba aquellos viajes profesionales para tener aventuras con sus colegas?

—Seguía enamorado de aquella actriz, ¿verdad? —me preguntó, inclinándose sobre la mesa en un gesto de encantadora intimidad.

—Sí, decía que era la mujer más hermosa que había visto nunca.

—¿Crees que se acostaron?

Me sorprendió la pregunta. Por lo que me habían dicho de Eva y de su marido, me esperaba una actitud más puritana en aquellas cuestiones.

—No lo sé, pero entra dentro de lo posible. Estuvieron juntos un tiempo y supongo que, en Hollywood, el que una joven y guapa actriz se acostara con su vigoroso chófer no debía de ser precisamente un hecho excepcional. Ya sabes, la ley erótica del contraste. En todo caso, aquello acabó pronto. Supongo que nuestra guapa actriz se cansó de los ronquidos de su bestia y la embarcó en el primer avión que regresaba a España. Desde entonces el pobre Serafín no levantó cabeza.

—Y, sin embargo, yo la entiendo a ella.

—¿Qué quieres decir?

—Somos cautivos de los que nos aman. No me extraña que quisiera escapar.

Lo dijo como si quisiera dar a entender que en aquella historia la víctima indefensa, la persona por la que había que sentir lástima, era la actriz y no el pobre Serafín Parra. ¿Tal vez estaba pensando en sí misma? En ese caso, ¿de quién estaba huyendo? «No, no quiere tener una aventura —pensé—, quiere castigar a alguien, probablemente a su marido, demostrarle que es libre para hacer lo que le venga en gana.»

Habíamos terminado de cenar y Eva hizo un gesto de frío. Le tomé de la mano. Sus dedos estaban helados y húmedos, como si acabara de sacarlos del agua. Como si acabara de regresar de la laguna negra.

—Espera, voy por tu chaqueta —le dije.

Uno de los camareros se había acercado a la mesa de al lado para atender a los clientes, y Eva apartó bruscamente su mano de la mía, como un barco que suelta amarras y se hace a la mar.

—No, es mejor que nos vayamos de aquí —murmuró con una expresión de súplica—. Ya es muy tarde.

La gente ya había empezado a abandonar el comedor y los camareros recogían las mesas y volvían a disponerlas con manteles y vajillas limpias. Dentro de muy poco todo volvería a estar como lo habíamos encontrado al llegar. Pasábamos por los lugares como fantasmas, sin dejar huella alguna. Me dirigí al guardarropa. La chica que lo atendía era muy joven, casi una niña, y al entregarme la delicada chaqueta de Eva me sonrió con picardía. Aún creía en el poder del amor y de las lágrimas, en las noches traspasadas de promesas y en sus incitantes secretos. Aún vivía esperando que alguien la llevara de la mano hacia ese claro de luna en el que sólo reinaba la dicha.

Cuando regresé al comedor, el dueño del restaurante estaba

ante nuestra mesa. Eva nos presentó con una amplia sonrisa. Estaba claro que era una magnífica actriz.

—Es el doctor Daniel Herrero. Hemos coincidido en el congreso. Hace un montón de años que no nos veíamos.

Asentí con la cabeza, al tiempo que le estrechaba la mano a aquel hombre. Me di cuenta de que no simpatizaba conmigo.

—Le ruego que dé recuerdos a su esposo —manifestó dirigiéndose a Eva—. Esperamos volver a tenerles muy pronto por aquí.

Dijo aquello deteniéndose en cada una de las palabras, y mirándome de reojo al terminar, como si quisiera advertirme de algo.

—Eso está asegurado —le contestó Eva, que le seguía complacida el juego—. Jaime no deja de decir que aquí se come el mejor arroz del mundo.

Un camarero le ayudó a ponerse la chaqueta, y otros dos nos estaban esperando a la puerta para despedirnos. Todos se comportaban como si yo no existiera. ¿Por qué me había llevado a aquel restaurante? ¿Tal vez para convencerse a sí misma de que no tenía nada que ocultar?

Al salir, se sintió obligada a darme una explicación.

—Todos adoran a mi marido, y con razón. Sólo vive para sus enfermos. Terminará por subir a los altares.

Dijo aquello con un leve rictus de ironía, como si hubiera en el comentario un oculto reproche. Al cruzar el jardín, volvimos a escuchar el croar de las ranas del estanque.

Decidí recuperar la iniciativa.

—¿Crees que es verdad?

—¿Qué?

—Que se emparejan para siempre. Que una rana llega incluso a morir si a su compañera le pasa algo.

—Sí, claro que lo creo.

La miré como a una persona a la que no hubiera visto nunca, que sólo vería un segundo y luego desaparecería.

—Pero ¿sabes lo que más me extrañó de aquella película? —continuó—. Que tuviera el poder de conmoverme así. No me había pasado nunca, al menos con aquella intensidad.

—No te entiendo.

—La pobre chica se enamora de un hombre que aparece por su pueblo, y por defenderle se mete en un lío tras otro. Y a ti te preocupa todo lo que hace, y quieres que ese amor sea dichoso, aunque no sepas por qué. Como si fuera tu propia felicidad la que estuviera en juego.

Eva se adelantó unos pasos. Caminaba con los ojos fijos en la arena del suelo, que la luz de la luna hacía parecer blanca.

—Es extraño —continuó—. Que una persona aparezca en tu vida y lo cambie todo. Alguien del que no sabías nada, del que habías prescindido sin mayores problemas hasta ese momento, y que sin embargo se apodera de ti, consiguiendo que a partir de entonces nada tenga sentido lejos de él. Como si fuera tu mitad perdida.

Una pareja estaba detenida bajo los árboles. Me fijé en ellos, pues habían cenado a nuestro lado en el restaurante. La mujer tomó de la mano a su compañero y riéndose, como una parte diminuta de algo misterioso, le arrastró hacia el fondo del jardín.

Entramos en el coche y, cuando me disponía a arrancar, Eva me dijo:

—Vamos a algún sitio, al que tú elijas. No quiero volver al hotel.

Nos quedamos callados mientras arrancaba el coche y tomaba la dirección de la salida. Había cipreses y otros árboles de hoja perenne y, un poco más allá, estaba el camino de piedra que desembocaba en la carretera principal. Lo bordeaban dos hileras de arbustos. Sus hojas, por efecto de la luz, parecían doradas. Diversos letreros publicitarios brillaban entre relucientes macizos de flores.

—¿Adónde vamos? —le pregunté a Eva, volviendo levemente la cabeza. Me pareció que estaba allí a la fuerza. Como si quisiera escapar pero no tuviera un sitio adonde ir.

—No lo sé, cerca del mar.

Una farola iluminó brevemente el interior del coche y recordé a la chica del guardarropa, su forma de entrar y salir de la luz, que hacía pensar en la ingravidez de los peces. Salí a la carretera. En sentido contrario, los coches pasaban a nuestro lado a gran velocidad, cazándose unos a otros como animales asustados. Unos kilómetros más adelante un anuncio de neón marcaba el acceso a la playa.

—¿Probamos suerte?

Eva asintió con la cabeza.

5

La pequeña carretera conducía a un modesto hotel de tres plantas. No había mucha luz y su silueta se recortaba sobre el cielo de la noche como un decorado. Al fondo se intuía el vacío del mar. El edificio tenía un bar en la planta baja, y había dos coches aparcados en la puerta. Me detuve junto a uno de ellos.

Enfrente vimos el nombre del hotel en una valla publicitaria: Miramar. A su lado había el dibujo de una pequeña sirena, sentada sobre una roca.

—No son muy originales, ¿verdad?

Eva se rió, al tiempo que tendía la mano para acariciarme. La luz de una de las ventanas se encendió en ese instante, y su reflejo dorado se derramó sobre la fachada, mientras un pequeño papel se elevaba del suelo arrebatado por la brisa. Estábamos rodeados de señales que no lográbamos entender. Eva se inclinó hacia mí y me besó inesperadamente en los labios.

Nuestras bocas apenas se habían rozado pero sus labios, al retirarse, estaban húmedos, como si acabara de beber agua en algún misterioso lugar del pasado. Un lugar que sólo le pertenecía a ella y al que podía regresar cuando quisiera.

—Estás muy guapo —me dijo—. Debí enamorarme de ti.

Traté de besarla de nuevo pero Eva se escabulló de mis brazos y, abriendo la puerta, salió del coche. Había algo limpio en ella que incitaba a seguirla, a obedecerla en todo, como hacían los perros con sus dueños.

—Anda, vamos —me dijo, haciéndome gestos para que saliera.

Me reuní con ella y, tomados de la mano, nos dirigimos al hotel. La cafetería tenía una terraza orientada hacia el mar. Había pasado el verano y las mesas y sillas estaban apiladas en altos montones. En el bar había una televisión, puesta a todo volumen, y un par de clientes del pueblo. Uno de ellos sentado ante una mesa con el camarero, y el otro solitario en el mostrador. Éste volvió la cabeza hacia nosotros. No se había afeitado y su rostro parecía tallado en madera, como una máscara. El otro cliente estaba charlando con el camarero. Oímos la última frase:

—Hay lugares a los que es mejor no ir.

El camarero se acercó a nosotros y le pedimos dos cafés.

—La cafetera está apagada —nos dijo secamente.

Eva pidió agua y yo un whisky. Me sentí ridículo nada más hacerlo, pues no solía beber, y había pedido whisky sólo para impresionarla.

—Vamos afuera —le dije.

Ya estábamos saliendo cuando oímos la voz del camarero.

—Cerramos en media hora.

Eva se dirigió a la barandilla de la terraza y se quedó contemplando el mar. Me acerqué a ella y la rodeé por detrás con mis brazos. Sentí por primera vez la tibieza de su cuerpo, un cuerpo dúctil que se adaptaba al mío sin resistencia alguna. Sin embargo, aquel gesto me hizo sentirme culpable. Me di cuenta de que llevaba toda la noche tratando de hacerle creer que tenía algo que no tenía, que podía decirle cosas que nunca le sabría decir.

Se escuchaba el rumor del mar y veíamos los reflejos de las luces de la orilla sobre el agua negra. Había un pequeño puerto, y los barcos temblaban levemente por el movimiento de la superficie, como muebles abandonados en el agua. Fuimos al montón de sillas y retiramos dos de ellas. Había luna llena, y su círculo nacarado invitaba a las confidencias.

—¿Quieres que te hable de Jaime? —me preguntó.

Asentí con la cabeza.

Eva había apoyado los codos en sus rodillas y me miraba fijamente como diciendo: «Bien, ahora soy temporalmente tuya; aprovecha el tiempo lo mejor que puedas». Debí haberla besado en ese mismo instante, pero no lo hice y Eva comenzó a hablar:

—Cuando le conocí yo tenía catorce años. Su padre venía de Madrid y ocupaba un puesto muy importante en no sé qué banco. Se hizo amigo del mío y muy pronto los dos matrimonios fueron inseparables. Cuando los padres de Jaime venían a casa solían traerle a él y yo me ocupaba de atenderle. Creo que nuestras madres fantaseaban secretamente con la idea de que nos pudiéramos enamorar.

—Y así fue —le interrumpí, con impremeditada brusquedad.

Eva me miró con ojos divertidos, como si le hiciera gracia que todavía pudiera afectarme algo así.

—Te advierto que los celos retrospectivos son una enfermedad. Una de las más incurables, ya que su causa está fuera de nuestro alcance.

Sí, el pasado estaba fuera de nuestro alcance. Es más, no sólo estaba hecho de lo que había sucedido, sino de lo que no había llegado a suceder. Nadie podía cambiar eso, aunque a veces la influencia de lo que no llegamos a vivir fuera más decisiva que la de lo que sí conocimos e hicimos. Teníamos vidas reales pero nos enamorábamos de vidas irreales.

—Prometo portarme bien —le contesté.

Eva me acarició el dorso de la mano. Me fijé en que sus ojos brillaban intensamente, como si la dominara una indescriptible emoción.

—Escucha, escucha —murmuró—. Lo que te voy a contar es un poco triste, pero algo, no sé qué, me lleva a contártelo en este lugar y esta noche.

—¿Qué quieres decir?

—Puede que te parezca absurdo pero creo que Alberto y tú, con el nacimiento de mis hijas, habéis sido lo más bonito que me ha pasado en la vida.

Me acordé de mi madre y de que también ella utilizaba con frecuencia esa palabra. Solía aplicarla a los objetos corrientes en vez de bello o hermoso, que resultaba más solemne: «Era una ciudad muy bonita, llevaba un vestido muy bonito...». También decía «por tu cara bonita o niño bonito», para ironizar sobre cierta pretensión sin fundamento o cuando se refería a alguien presumido. Una vez, mi padre le reprochó su costumbre de poner siempre flores en la mesa y ella le contestó que «debíamos tener cosas bonitas para guiarnos».

—Jaime —continuó Eva— era algo mayor que yo pero era un chico muy tímido, que se encontraba desplazado en Bilbao. Mientras nuestros padres hablaban, íbamos a mi cuarto o salíamos a pasear. A mí no me gustaba mucho, aunque me daba un poco de pena, pues se trabucaba al hablar y todo le salía al revés. Volcaba los vasos de refresco, te pisaba si iba a cederte el paso. Había sido un niño muy débil y su madre le había tenido en una burbuja de cristal; le costaba hasta hacerse el nudo de los zapatos. Entonces pasó aquello tan terrible. Sus padres murieron en un accidente de tráfico y se quedó completamente solo. Tenía unos tíos con los que apenas se trataba y, aunque quisieron hacerse cargo de él, Jaime prefirió terminar el curso en Bilbao.

—Ya se había enamorado de ti.

—Sí. Bueno, no sé... Es difícil saber cuándo pasan esas cosas. El caso es que Jaime y yo nos hicimos novios. Nadie se extrañó, porque en aquellas circunstancias parecía lo más normal. Mis padres le querían mucho, porque Jaime era de esos chicos que se hacían querer, sobre todo por las madres, que enseguida, al verle tan indefenso, deseaban protegerle de los peligros del mundo. Además, era algo así como un heredero de oro. El padre de

Jaime había dejado una fortuna en acciones y había sido una persona muy influyente en los medios financieros. Su traslado a Bilbao era un encargo personal de López Rodó, que fue en ese tiempo el responsable de la revolución económica del régimen de Franco y de su intento de aproximación a Europa. Todos ellos pertenecían al Opus Dei. Cuando murieron sus padres, López Rodó se ocupó personalmente de la educación de Jaime y estuvo atento a los menores hechos de su vida hasta que terminó la carrera. Luego, cuando nos casamos, fue el padrino de nuestra boda. López Rodó sentía hacia Jaime un cariño paternal, y cuando iba a Bilbao solía pasar unas horas con nosotros. Nos contaba muchas cosas de Franco, que en ese tiempo apenas se ocupaba de gobernar el país. Se pasaba el día cazando, o viendo la televisión, sobre todo los programas de cine y los partidos de fútbol. Fue la época grande del Real Madrid y él veía sus éxitos internacionales como una reivindicación del papel de España en el mundo. ¡Fíjate que hasta hacía quinielas! Tenía un seudónimo para firmarlas, y todas las semanas rellenaba religiosamente su boleto. Incluso llegó a acertar los catorce resultados en un par de ocasiones. Es difícil imaginar a Hitler o a Mussolini haciendo quinielas o comprando lotería, pero Franco era así.

—Un auténtico patán.

Me di cuenta de que Eva tenía los ojos llenos de lágrimas y que había dicho las últimas palabras conteniendo con dificultad la emoción.

—¿Sabes cuándo me comprometí con Jaime?

—Lo acabas de contar.

—No, no me refiero a eso, sino al momento exacto en que sucedió.

Volví a fijarme en la mano de Eva y en la marca de la alianza que se había quitado.

—¿Cómo puedo saberlo?

Eva hizo una pausa. Su chal se había deslizado dejando al descubierto los hombros. ¿Quién era de verdad? ¿Qué pasaba en aquellos momentos por su pensamiento? La tenía allí mismo, delante de mí, ofreciéndose como un libro abierto y, sin embargo, era incapaz de leer en sus páginas. Éramos analfabetos emocionales. Nos habían enseñado a defendernos de los peligros del mundo, pero no sabíamos nada del alma, de los demás ni de nosotros mismos.

—Fue al regresar de Valladolid. Todo esto te va a parecer una tontería, pero ese verano, el mismo en que os conocí a vosotros, mi vida cambió para siempre.

—¿A qué te refieres?

—A que escapé de Bilbao huyendo de Jaime —me dijo, tocándome la mejilla con ternura, como dándome a compartir su emoción—. Necesitaba hacerlo. Tras el accidente de sus padres, Jaime se pasaba con frecuencia por casa y, para evitar que se quedara solo en el colegio, mis padres empezaron a invitarle a que pasara los fines de semana con nosotros. Todos nos desvivíamos por atenderle. Nos impresionaba su desgracia y queríamos protegerle con nuestro cariño. Sin embargo, muy pronto empezó a agobiarme, por su empeño en que nos hiciéramos novios. Y yo no estaba enamorada de él. Me daba pena, y hubiera deseado haber tenido poder para impedir aquella desgracia, pero no me gustaba que me cogiera la mano, ni que me hablara de nuestra boda ni de los hijos que íbamos a tener. Yo le decía que le quería sólo como a un amigo y que no pensaba casarme con él, y esto le entristecía, pero al día siguiente volvía a la carga, como si aquella conversación nunca hubiera tenido lugar. Y empecé a ser cruel con él.

»No soportaba su solicitud, su insistencia, la forma en que parecía administrar su desgracia. Quedábamos y le daba plantón, simulando otras obligaciones o malestares inexistentes; le hacía ir sin gafas, cosa que él no podía hacer pues no veía nada, tratando de quitarle aquel aspecto de eterno empollón que causaba la risa de mis amigas. Te sorprenderías si supieras lo que es capaz de albergar el pensamiento de una chica de quince años. Luego, claro, me llenaba de remordimientos. No era una beata, y mis padres siempre habían sido bastante liberales, pero iba a un colegio de monjas y ya sabes lo que pesaba sobre nosotros la educación cerrada y llena de escrúpulos de aquel tiempo tan triste.

»Jaime iba todos los días a un piso que tenían los del Opus, y quería que yo entrara en la obra. Las chicas tenían un piso aparte y me llevó varias veces. Yo las odiaba. Odiaba su hipocresía, su vulgaridad, su sumisión. Jaime me acompañaba hasta la puerta, los hombres no podían entrar, y me animaba a subir, pues aprovechaban los sábados para hacer sus retiros espirituales. Me dejaba en aquel horrible lugar el tiempo que deberíamos haber estado paseando por los jardines o aprovechando los portales para besarnos. No era fácil besarse en aquel tiempo. El mejor lugar eran los cines. Había oído lo que hacían otras chicas y empecé a imitarlas. No íbamos a los cines del centro sino a los de barrio, donde el control era menor y nadie nos conocía. Le pedía a Jaime que nos sentáramos en las filas de atrás y nos besábamos sin descanso. Jaime pensaba que aquello no estaba bien, y era yo la que llevaba la iniciativa. Aún más, su resistencia, aquellos temores, me excitaban. Creo que nunca he sido más atrevida. Le obligaba a besarme sin descanso y un día empecé a tocarle...

Eva se detuvo y me miró con una expresión avergonzada y divertida a la vez.

—Oye, perdona que te cuente todo esto. Pensarás que soy una obsesa sexual y que la edad me ha hecho perder el poco juicio que me quedaba, pero te juro que tengo mis razones.

Me hizo gracia que el relato de aquellos primeros escarceos sexuales le causara problemas. Aunque me interesaba cada vez más saber por qué me lo contaba y hasta dónde quería llegar.

—Por favor, Eva... Tu relato resulta de una ingenuidad conmovedora. No tienes más que recordar alguna de las confidencias que escuchamos habitualmente en nuestras consultas.

—Sí, es verdad —dijo riéndose—, sobre todo las de los viejecitos.

El deseo no moría jamás. Los ancianos llegaban a la consulta y, después de unos cuantos rodeos, abordaban la verdadera razón por la que estaban allí: el temor a la pérdida de la función sexual. Muchos de ellos andaban con dificultad y apenas podían con la cuchara y, sin embargo, todo lo que les preocupaba era no responder sexualmente si se les presentaba la ocasión. Lo que, visto su estado, era una posibilidad más que dudosa.

—Anda, sigue…

—Cogimos aquella costumbre. Íbamos al cine, nos sentábamos en un lugar apartado y empezábamos a besarnos… Jaime no quería, se ponía rígido y trataba de resistirse, pero siempre terminaba cediendo. Y yo le masturbaba. Lo hacía sin perder la cabeza, como si me bastara con ser consciente del poder que tenía sobre él para sentirme satisfecha. Era como acariciar a un perro y percibir sus estremecimientos y sus gemidos, ver cómo se tiraba al suelo y te ofrecía la tripa, como si en todo dependiera de ti. Pero un día, en una confesión, Jaime se lo contó todo a un cura del Opus que se llamaba don Ezequiel y éste me llamó para hablar conmigo. Fue una de las tardes más bochornosas que recuerdo. Empezó a hablarme de ciertas necesidades, de la tensión natural que sentíamos a ciertas edades y de los cambios que tenían lugar en nuestro cuerpo, en fin, ya sabes cómo eran, y, finalmente, me habló de Jaime. Me dijo que estaba sufriendo mucho por mi causa, y que aquello tenía que acabar. No era bueno para ninguno de los dos, pero mucho menos para mí, ya que a las jóvenes la pureza, la virginidad, era el bien que por encima de cualquier otra cosa debía adornarlas. Y sin el cual no eran nada… Además, añadió de pronto, sujetándome la mano con la suya, una de esas manos blandas que parecen desprovistas de huesos, fría como la piel de un reptil, eres tú la que le induce, estás cometiendo un gran pecado. Me eché a llorar, y él creyó que era de arrepentimiento, pero era de vergüenza y de rabia. Vergüenza y rabia de que le hubiera hablado de lo que sólo a nosotros debía pertenecer.

Hizo una pausa.

—¿Te estoy aburriendo?

—Todo lo contrario, esto se está poniendo interesante.

—Anda, no seas malvado —me dijo con una sonrisa, aunque enseguida volvió a ponerse seria—. Todo esto puede parecer ahora una tontería, pero te aseguro que entonces lo pasé fatal, pues estaba convencida de que era una perversa y que ninguna otra chica en el mundo se comportaba como yo. Salí de allí decidida a que una escena como aquélla no se volviera a repetir. En efecto, no regresé por aquel piso ni volví a ver a don Ezequiel. Y, como consecuencia, empecé a rehuir a Jaime. Me llamaba y no quería ponerme al teléfono. Cuando me abordaba a la salida del colegio, al que me iba a esperar, me las arreglaba para no quedarme a solas con él y luego me inventaba las excusas más sofisticadas para no verle los fines de semana. Mi madre no tardó en darse cuenta y una tarde habló conmigo. Me dijo que no tenía que comprometerme con Jaime si no me gustaba, y que sólo me pedía que fuera amable con él. No sabes cuánto le agradecí aquellas palabras. Me tranquilizaron por un tiempo. Incluso pensé que podía tener con Jaime una relación más tranquila, de simple amistad. Y así volvió a ser, al menos por un tiempo. Jaime venía por casa y yo me ocupaba de él como habría hecho con un vecino o un familiar. En apariencia no hacía nada por ganar mi voluntad pero, en realidad, no cesaba en su acoso. Y utilizando la más devastadora de las armas, su propio sufrimiento. Creo que desde entonces, y que Dios me perdone, odio a los que sufren y no lo ocultan. Son como esos mendigos que exhiben sus deformidades para provocar nuestra compasión. Así era Jaime. Venía a mi encuentro y yo le miraba como lo haría a un corderito recién nacido en un mundo lleno de lobos. No sabía que todo obedecía a una táctica. Su desgracia era una forma de decir: he aquí el poder de los débiles. Tened compasión, dadme lo que deseo. Eso hice, y estaba a punto de caer otra vez en sus manos cuando pasó una cosa. Una tarde en que Jaime vino a buscarme me escondí en el armario. Le habían dicho que estaba en casa y, en efecto, me estuvieron llamando y buscando un buen rato pero no dieron conmigo y Jaime se marchó. Yo lo hice poco después. A hurtadillas, sin que nadie se diera cuenta.

»Y de pronto me descubrí sola en la calle, escapando en dirección a la ría. No sabía adónde dirigirme y entonces vi en un cartel que se anunciaba una verbena en Las Arenas. Cogí un autobús y fui a esa verbena. Yo vivía en el Bilbao próspero, en el ensanche decimonónico, junto al barrio de Neguri. Raras veces había abandonado aquellos barrios residenciales. Me bajé en Portugalete y empecé a cruzar el puente colgante en dirección a Las Arenas. Hacía una noche muy suave. Las acerías y las fábricas de productos químicos salpicaban las márgenes del río Nervión, con sus edificios feos y sucios. Sin embargo, a esas horas, sus contornos se difuminaban, recordando grandes barcos fondeados en las orillas, cuyas largas chimeneas parecían prometer un mundo de viajes oceánicos y de aventuras románticas. Acababa de cruzar el puente cuando oí la música de la verbena y vi las luces de colores que colgaban entre las ramas de los árboles. La verbena tenía lugar a la orilla del río, en un pequeño calvero rodeado de pinos. La música era muy alegre y había mucha gente moviéndose en todas las direcciones. Sus ropas de colores brillaban bajo las bombillas, húmedas como escamas. Me acerqué a la pequeña pista, que era una plataforma de tablas situada junto a la orilla. Toda la gente estaba bailando y las tablas se movían como si estuviéramos flotando en el río y la corriente nos arrastrara. Sí, eso pedía aquella música y aquel lugar precioso, que cerraras los ojos y te dejaras llevar. Había un bar y, como tenía sed, me acerqué a pedir un refresco. Debajo de las sillas los gatos disputaban por las cáscaras de los langostinos. En ese instante se me acercaron dos chicos y empezaron a cortejarme. Y no te lo vas a creer: eran exactamente iguales. Sí, dos gemelos de esos que han nacido de la división de un único óvulo y que no hay manera de distinguir, que son como una figura y su reflejo. Yo no daba crédito a lo que veía. Eran muy guapos, y actuaban perfectamente compenetrados, como esos acróbatas en los circos que hacen de sus cuerpos y de sus movimientos una prolongación del cuerpo de sus compañeros. No dejaban de hablar y, enseguida, tras enterarse de mi nombre y de que estaba sola, me cogieron bajo su protección. En la verbena habían preparado una sangría muy fresca y empecé a beber mientras ellos disputaban alegremente entre sí para ganar mi atención, y a mí me encantaba tenerlos a mi alrededor; me gustaba su libertad, su inocencia, aquel mundo sin pecado ni culpa, tan semejante al mundo de los animales. Si uno me sacaba a bailar, al momento el otro ya estaba allí pidiendo su turno; si uno me cogía de la mano para llevarme en una dirección, el otro tiraba de mí en la dirección contraria. Pasaba de unos brazos a otros sin apenas rozar el suelo. Creo que me volví loca de felicidad. Había unos tiovivos y una noria gigante y terminamos los tres juntos en una de las barquitas. Desde allí arriba, las luces de la verbena se reflejaban en las aguas del río como un mundo de estrellas. Al bajar, estaba algo mareada y uno de ellos fue a buscarme un refresco. Y entonces el otro empezó a besarme. Fue un beso largo, muy dulce, en el que perdí la noción del tiempo. Y cuando abrí los ojos su gemelo había regresado y nos estaba mirando con una sonrisa en los labios. No había reproche, no pensaba que le hubiera traicionado. "Ahora me toca a mí", parecía estar diciendo. Y eso hizo. Ocupó el lugar de su hermano y al momento estaba buscando mis labios. No me negué, y luego volvimos a repetir. Se turnaban en mis brazos y yo me dejaba llevar como esas ramas que arrastra la corriente no se sabe hacia dónde. A partir de ese instante no nos soltamos de la mano. No pensaba en lo que estaba haciendo, y ellos me llevaban de una barraca a otra exhibiéndome ante todos sus conocidos. Era como si acabaran de comprarme. Allí cerca había un mercado de esclavos y ellos habían pujado por mí y pagado una gran suma para liberarme de mis raptores. Pero yo no quería la libertad, no al menos tan pronto, sino seguir perteneciéndoles, al menos aquella noche, y hacer lo que me pidieran: servirles los platos más exquisitos, lavar sus pies con perfumes, darles vino de mi boca… Creo que hasta esa noche yo no sabía qué era de verdad el deseo. Pensaba, porque así nos lo habían contado, que nos conducía a un mundo lleno de dolor y de oscuridad, pero no me sentía en un mundo así, sino en uno de copas doradas y de pájaros veloces, de cálidos jadeos y de dulces estremecimientos. No quería que aquello terminara nunca. Nos deteníamos ante las casetas de tiro, donde competían, y mientras uno disparaba el otro me llenaba de caricias. Terminaba de besarme uno y el otro ya estaba ocupando su puesto. Sus labios tenían el sabor del moscatel y del pepinillo de las tapas que acababan de ganar en el tiro. Todo esto puede parecer increíble, pero te juro que fue como sucedió. Sabía la bronca que me esperaba, pero no quería regresar a casa. No quería sobre todo encontrarme con Jaime, porque pensaba que le bastaría con mirarme para darse cuenta de todo. Es cierto que yo era una pobre muchacha sin experiencia, a la que las monjas habían transmitido que todo lo relacionado con su cuerpo era un enorme pecado. Pero ahí estaba, cercada por las caricias y los besos de mis amigos. Eso era la dulzura, dejarte llevar. Además, ¿por qué iba a tener miedo? No conocía a nadie. Aquel lugar a la orilla del río, la música, los farolillos de colores, la verbena, aquel mundo de obreros y de muchachas alegres, no se parecía en nada al que conocía. Tampoco los besos de los gemelos eran como los de Jaime. No sabía que los hombres podían ser tan infantiles y tercos, ni que sus besos y caricias podían trazar un cerco tan dulce alrededor de nosotras. No sabía que estábamos hechas para ser vencidas por esa dulzura. Nos apartamos un poco. La luna se había levantado sobre el río Nervión. Deformada por el reflejo de las luces y por el aire del verano, flotaba sobre la corriente del río como un rostro amarillo. A lo lejos, los techos eran largas y pálidas figuras. Llegamos a un pequeño embarcadero. Las barcas estaban vueltas, como grandes vainas, y nos sentamos entre ellas para seguir besándonos. Yo cerraba los ojos y jugaba a distinguir a los gemelos sólo por el olor, o por la manera que tenían de acariciarme. Eran como grandes pájaros que se posaban a mi lado y me cubrían con sus alas antes de levantar nuevamente el vuelo. Me parecía que aquellos pájaros se estaban alimentando de mi corazón. Y no me importaba.

Eva se detuvo un momento, y se quedó mirándome, atenta a la menor reacción de mi cara. Sus ojos estaban llenos de noche, de la tranquila, inmóvil y cálida noche del verano, de la ciudad y sus luces.

—¿Qué te parece? —me preguntó.

—Parece un cuento. Uno de esos cuentos de Truman Capote, cargados de premoniciones, locuras y presagios. ¿Has leído alguno?

Eva negó con la cabeza.

—En uno de ellos se dice que no debemos enamorarnos de los seres salvajes. Cuanto más los amas más fuertes se vuelven, hasta que terminan marchándose.

—El problema es si podemos evitarlo —continuó Eva—. ¿Sabes lo que pienso? Que no es verdad que amemos el peligro; lo que queremos es vencerlo, que no llegue a existir. Hacer las locuras más grandes, sin que llegue a pasarnos nada. Y ésa era la sensación que tenía yo, que todo me lo podía permitir, hasta volar con ellos por encima de las copas de los árboles como hacía Lois Lane en brazos de Superman. Tenía los ojos cerrados e inclinaba la cabeza como un topo que cavara un camino. Entonces oí cómo uno le decía al otro que me soltara, que era sólo una niña. Y dejaron de acariciarme. «Anda vamos, me dijeron. Es muy tarde y tienes que volver a tu casa.» Todavía hoy me pregunto qué les hizo detenerse, no seguir adelante cuando habrían podido conseguirlo todo de mí. Nos levantamos y después de recomponernos las ropas regresamos a la verbena. Me acompañaron a un taxi. Cuando ya estaba dentro se asomaron los dos a la ventanilla. «No vuelvas por aquí —parecían decirme—. Sería tu desgracia. Las muchachas no pueden tener dos maridos a la vez.» Cuando el taxi se puso en marcha empezaron a agitar los brazos y a hacer el payaso como dándome a entender que no me preocupara, que todo seguiría su maravilloso curso aunque no nos volviéramos a ver. Pero yo sabía que no era cierto y que había fracasado en todo. No, no habíamos volado por encima de las copa de los árboles, ni entre aquellas barcas iba a quedar para siempre la memoria de nuestros besos. Tenía sólo quince años y, fíjate, esa noche aprendí algo que ya no olvidaría nunca, aunque, como es lógico, en ese instante jamás habría podido formularlo como voy a hacerlo ahora. Aprendí que el amor es lo que no podemos tener de la vida.

Eva se sonrió al decir aquello, y me miró con una expresión divertida y triste a la vez.

—Oye, perdona. Vaya frasecita que me ha salido. Pero si lo piensas un poco verás que no ando tan desencaminada.

Las luces lejanas del puerto parecían puertas a los sueños. Eva se volvió levemente hacia mí. Sus ojos estaban tan cerca que pude ver mis propias facciones atrapadas en sus pupilas.

—Lo que dices es muy hermoso —susurré, pasando mi brazo por su espalda para abrazarla—, pero también muy triste. Terriblemente triste. No tienes por qué seguir.

Eva no me hizo caso, y, estirando la cabeza, como una nadadora que emergiera de las profundidades más oscuras, más verdes, continuó:

—Regresé a casa y al día siguiente Jaime fue a esperarme a la salida del colegio. Empezó a preguntarme por lo que había hecho la noche anterior, y entonces estallé y llena de rabia le dije que había estado con dos chicos en un baile de barrio y que me había dejado tocar y besar por ellos. Que me había gustado mucho, y que pensaba repetirlo cuantas veces se me antojara, y que lo mejor que podía hacer era apartarse de mí, pues yo no tenía nada que ver con esas chicas hipócritas que iban a aquel piso, ni quería pasarme el día oliendo a incienso o escuchando las simplezas de don Ezequiel. «¿Sabes una cosa? —añadí—, sólo con verle se me revuelve el estómago.»

»Jaime se quedó consternado. Le dio algo así como un ataque de nervios y terminó llorando, con el rostro oculto entre las manos. Estábamos en un parque. Ya había oscurecido y la luz de las farolas se colaba entre las hojas de los árboles. Un joven negro estaba sentado en un banco y por un momento se nos quedó mirando. Un poco más allá, un hombre paseaba a su perro. Me pareció que estaban allí sin saber adónde ir ni lo que tenían que hacer con sus vidas, como nos pasaba a nosotros. Que nadie en el mundo sabía lo que quería o necesitaba. Un coche se detuvo ante el semáforo en rojo. Lo conducía una mujer joven. No pude ver su rostro, pero tenía el pelo muy corto, color ante. Recuerdo que me dio envidia y que pensé en cuánto me hubiera gustado ser como ella y poder moverme libremente por la ciudad de noche. Entonces volví a fijarme en Jaime y sentí pena por él. Sus ojos eran los de alguien que lleva mucho tiempo sufriendo. Los ojos de alguien que se pregunta la razón de tanto dolor. Su sufrimiento había sido tan grande que parecía que iba a brotar sangre de ellos. Y entonces entendí qué le pasaba. Quería tener un refugio, un lugar donde protegerse, donde no le pudiera pasar nada malo. Por eso iba a aquel piso, por eso buscaba la sombra negra de don Ezequiel. De pronto sentí amor, no sólo por Jaime sino por un gato que había martirizado de niña, por una criada muy joven a la que había hecho llorar en casa con mi insolencia, y por una compañera de clase a la que se le había muerto el padre y de la que huía por pensar que podía traerme alguna desgracia. Todos sufrían como Jaime, todos se llamaban unos a otros pidiendo consuelo. Y supe que tenía que dárselo, y al día siguiente volví a salir con él, y también al otro y al otro. Nos sentábamos formalmente en los bancos de los parques y en las cafeterías tomados de la mano, como si fuéramos dos enfermos, dos convalecientes que dejaran pasar las horas hasta que sus cuerpos se hubieran fortalecido lo suficiente para empezar de nuevo. «No tienes que hacer nada —me decía—, sólo esperar.» Y volvimos a hacernos novios y hasta regresé a aquel piso y me plegué a todo lo que me pedían. Ejercicios espirituales, visitas a los barrios de los pobres para hacer apostolado y llevar comida y ropa, un mundo de penitencias, promesas y oscuros arrepentimientos. Mi rebeldía apenas había durado unas semanas y, a partir de entonces, me volví la chica más sumisa y solitaria de la tierra. Era como si me hubiera quedado sin voluntad. Es una historia extraña, ¿a que sí?

—Todas lo son.

—Es cierto —murmuró suavemente, como si no quisiera que la oyeran—, y deberíamos ser capaces de aceptarlo así. El problema es querer entender las cosas que nos suceden; es entonces cuando se sufre.

Se oía música que venía de la playa, un sonido distante, melodioso. Estaba tan oscuro que no se podía ver si había alguien bailando. Eva estuvo mirando en esa dirección y, luego, al volverse hacia mí, su rostro se despejó de repente.

—Y entonces aparecisteis vosotros, Alberto y tú. Mejor dicho, un poco después, durante el verano. Antes se dieron un montón de casualidades para que aquello pudiera suceder. Mi padre tenía que hacer un viaje a Estados Unidos por algo relacionado con su trabajo en el banco, y le pidió a mi madre que le acompañara. Pero mi madre no quería dejarme sola, porque en aquella época estaba muy preocupada por mí. Y no era para menos. Había adelgazado varios kilos y apenas tenía fuerzas para levantarme de la cama. Creo que nunca me he sentido tan desgraciada, aunque si alguien me hubiera preguntado no habría sabido decirle por qué. De hecho, y a pesar de que siempre había sido una buena estudiante, ese curso suspendí varias asignaturas, y eso que las monjas me dieron todas las facilidades del mundo para que aprobara. Creo que tuve una depresión de caballo, aunque en ese tiempo no se hablara de esas cosas y todo lo quisieran arreglar dándote vitaminas, que eran el descubrimiento estrella de la medicina de entonces. Pienso que la gente se equivoca con los depresivos. No es cierto que no amen la vida; su problema es que no quieren renunciar a sus sueños. Aman tanto la vida que no quieren vivir en un mundo en el que esos sueños no cuenten para nada, y por eso eligen la muerte.

Pensé en Alberto, y en que también él había elegido morir.

—Estaban dando vueltas a lo que podían hacer conmigo —continuó Eva, que parecía agotada y afligida— cuando mi padre se encontró casualmente en un restaurante con un antiguo compañero de colegio. Resultó ser el padre de Beatriz Ocaña, ¿te acuerdas de ella?

Una paloma se posó a nuestros pies. Me fijé en sus trémulas plumas, encendidas por la luz de neón, y en la extraña indecisión de sus movimientos. Era raro ver a una paloma a esas horas. «Pasa algo —pensé—; tampoco ella puede dormir esta noche.»

—Sí, claro que me acuerdo —le respondí—. En aquel tiempo su padre era gobernador civil.

—Eso mismo —dijo Eva sonriendo.

Beatriz Ocaña era una de las chicas más solicitadas de entonces. Ella y sus amigas eran las guapas hijas de la burguesía local. Su mundo era el mundo de las pequeñas fincas a la orilla de los ríos, de intercambios en Francia y bailes en el casino, un mundo de velos blancos en las procesiones del mes de mayo y de turbias visitas a los pinares en los primeros coches de sus acompañantes.

—El padre de Beatriz y el mío —continuó Eva— habían sido compañeros de colegio y terminaron comiendo juntos y hablando de sus respectivas familias. Y al día siguiente se presentó con un ramo de flores en mi casa para conocernos a mi madre y a mí. Me dijo que tenía una hija de mi misma edad y me propuso que fuera a pasar las vacaciones con ellos. A mí me hizo ilusión la idea, porque en lo más hondo de mí misma deseaba separarme un tiempo de Jaime. De forma que unos días después mi padre me llevó a Valladolid. El plan era estar allí una semana y luego salir para un pueblecito de Asturias, donde tenían una casa, pero las cosas se complicaron, porque la madre de Beatriz se puso enferma y decidieron que era mejor quedarse en la ciudad, donde iba a estar mejor atendida. Por eso no me moví en todo el mes de agosto e hicimos de aquellas piscinas junto al río nuestra pequeña finca del verano.

—Vuestro jardín de los cerezos.

—Sí, nuestro jardín de los cerezos… Por cierto, ¿cómo se llamaban?

—Las piscinas Samoa.

—Sí, es verdad —dijo Eva ensimismada—. Era un nombre curioso, ¿no te parece? El nombre de un archipiélago del océano Pacífico en aquella tierra alejada del mar.

—No se me había ocurrido pensarlo.

—Os recuerdo sirviendo los refrescos en el bar y cuando os íbamos a pedir las canciones que nos gustaban. Beatriz y sus amigas no os hacían mucho caso. Os consideraban unos críos, y un partido no demasiado atractivo. Sobre todo a Alberto, al que miraban por encima del hombro porque le habían visto despachando lentejas. Te sorprendería hasta qué punto en la pequeña mente de una niña de quince años pueden estar ya arraigados todos los prejuicios que marcarán su vida futura.

Era peor, pensé, tenían ya la altivez de las personas que se saben poseedoras de la capacidad de herir.

—No te lo vas a creer —continuó Eva, con una sonrisa—, pero Valladolid me encantó desde el primer momento. Me gustaba pasear por la calle Santiago y la acera de Recoletos, y me gustaban los soportales de la plaza Mayor y sus pequeñas tiendas provincianas. Me acuerdo de una zapatería en la que había una gran bota como reclamo publicitario. Una bota que parecía hecha para calzar a un gigante, ante la que todos los niños se detenían. Me gustaba cuando sonaban las campanas de las iglesias, y me gustaban el Campo Grande, con sus pajareras y sus pavos reales, y aquellos cielos al atardecer llenos de vencejos. Y me gustaba aquel bar, ¿cómo se llamaba? Íbamos a tomar vino en un porrón y un señor muy viejo nos vendía cacahuetes. Y, sobre todo, me gustabais Alberto y tú.

Me incliné y la besé suavemente en los labios. No opuso resistencia.

—Y ahora, ¿te sigo gustando?

Eva se rió.

—Sí, claro. Lo cierto es que has mejorado bastante con la edad. En aquel tiempo tenías cara de susto.

Intenté besarla de nuevo, pero esta vez se apartó.

—Espera, espera, Déjame seguir…

Sus ojos se encendieron como velas.

—Me gustasteis desde el primer momento. Los dos a la vez. En realidad, no sabía por quién decidirme. Mejor dicho, no pensaba que tuviera que decidirme por uno de vosotros. Pensaba que podía quedarme con los dos.

—El conocido síndrome clínico de los gemelos.

—Ah, sí —dijo riéndose—, seguro que era eso. Supongo que todas las chicas deberían probarlo. Tener dos chicos turnándose para hacerlas felices. Dos chicos iguales en todo, pero con vidas y pensamientos distintos y, sobre todo —y no pudo dejar de sonreír al decirlo—, con dos manos cada uno. Me parece una idea genial.

—No sé qué pensaría de eso tu querido monseñor Escrivá de Balaguer.

No encajó el golpe. Era como esos boxeadores que no dejan de moverse, a quienes los golpes nunca les alcanzan.

—Vosotros tuvisteis la culpa. Me arrojé en brazos de monseñor Escrivá, como tú dices, porque vosotros me abandonasteis.

—Espera, espera, ¿qué quieres decir?

El cuerpo del camarero se dibujó en la puerta iluminada y su sombra se proyectó en el suelo, inmensa y amenazante.

—Vamos a cerrar —dijo con expresión resignada y ausente. Parecía un hombre que hubiera olvidado quién era.

Eva se levantó, como accionada por un resorte y me tendió la mano.

—Anda, vamos.

Nos detuvimos en el mostrador a pagar. En la televisión estaban poniendo un programa en el que se ridiculizaba el matrimonio. La cultura moderna se basaba en el sadismo. Salimos al exterior. Se había detenido la brisa y todo, hasta los árboles y las pequeñas plantas del jardín, parecía dormir.

Eva se dirigió hacia la playa. Me fijé en que en su rostro redondo, blanco y pleno afloraba una callada felicidad.

—Vamos a mojarnos los pies.

Avanzamos hacia la orilla tomados de la mano. La luna se reflejaba en las aguas negras del mar. Eva se descalzó y se metió sin dudar en el agua. Sus pies húmedos y blancos brillaban como los peces. La brisa que se había levantado al caer la oscuridad arrastraba hasta la orilla el reflejo de un sinfín de pequeñas olas.

Tomé a Eva en mis brazos y la volví a besar. Esta vez no ofreció resistencia. Era el beso adecuado, el beso romántico, ni demasiado breve ni demasiado largo. Un beso que contenía la promesa de otros besos.

—No debemos hacer esto —murmuró cuando nos separamos, con un brillo de locura en los ojos—. Luego será peor.

Sin embargo, parecía excitada y feliz, como una leona que acabara de devorar un trozo de carne. Nos dirigimos hacia unas barcas que reposaban en la orilla. Eva se sentó en la arena, con la espalda apoyada en una de ellas. En la lejanía vimos temblar un farol, probablemente de un barco que salía a esas horas a pescar. Volvimos a escuchar el sonido lejano de una música. Parecía venir de una radio que alguien estuviera escuchando para entretener su desvelo nocturno. En el muelle se mecían los barcos mezclando el resplandor de sus bronces con el fulgor de las constelaciones sobre el agua.

—Los hombres no sabéis nada del amor.

La dejé continuar.

—No sabéis gran cosa porque corréis menos peligros que nosotras.

Sonrió al decir aquello. Se estaba divirtiendo y aprovechaba para decir todo lo que se le ocurría. Como si las palabras hubieran nacido para jugar con ellas.

—Primero está la diferencia de tamaño y de fuerza. Es verdad que nunca sabemos quién es aquel del que nos enamoramos, pero en el caso del hombre esto tiene menos importancia, porque, llegado el caso, se puede defender. Pero ¿y las mujeres? Es extraño que nos vayamos con el primero que nos gusta. Podría aplastarnos con sólo una mano, y aun así nos vamos con él a lugares solitarios, donde nadie podría oírnos aunque nos pusiéramos a gritar. Confiamos, claro, en que nos trate con dulzura, pero ¿y si es un criminal?

—Puede que lo sea yo…

—No me extrañaría —dijo, tomándome de la mano.

Volvió a detenerse. Seguía sonriendo y tenía los ojos fijos en la inmensidad misteriosa del mar…

—Luego está el asunto de los niños —continuó—. No hay mujer que no sepa que antes o después se quedará embarazada, y desde pequeñas sabemos lo peligroso que eso puede resultar. Es verdad que ahora, gracias a los avances de la medicina, ese peligro es mínimo, pero en nuestro remoto inconsciente femenino está grabado el recuerdo de multitud de mujeres que murieron por esa causa, y que lo siguen haciendo en amplias zonas del planeta. Puede que los hombres nunca podáis entender esto, pero imagínate por un momento que por el mero hecho de irte a la cama con alguien te pudieras morir. ¿No te lo pensarías antes? Lo que vosotros consideráis caprichos del alma femenina, no son sino pruebas secretas con las que tratamos de saber qué queréis. Pruebas para poner nuestra vida en vuestras manos.

Hubo un largo silencio, y después, con una mirada provocadora, añadió:

—Las mujeres no dejamos de buscar el amor; los hombres estáis hechos de una pasta distinta y podéis arreglaros sin él. Aunque haya excepciones, no digo que no. Por ejemplo, vuestro amigo boxeador.

Volví a clavar la vista en su mano, que mantenía sobre las mías. Me acordé de cuando nos dábamos la mano en el parque. Recordaba su tacto y cómo me estremecía.

—Por cierto, ¿qué fue de él? —me preguntó, apartando sus ojos. Tuve la impresión de que se iba volando a alguna parte.

—Murió después del invierno. Le detectaron un cáncer de hígado. Alberto y yo fuimos a verle al hospital. Estaba irreconocible, pues en apenas dos meses había perdido cerca de veinte kilos. Se alegró mucho de vernos pero enseguida nos pidió que nos fuéramos. Sabía que se estaba muriendo, y quería estar solo cuando eso pasara. Era como los animales, que se esconden en lo más profundo de las cuevas para morir. Encima de una de las sillas de su habitación estaban sus guantes de boxeo. Era Nacho Castro quien se los había llevado… ¿Te acuerdas de Nacho Castro, el encargado de las piscinas?

—Ah, sí… Era muy simpático y siempre nos estaba regalando polos y refrescos.

—Eso es. Nacho Castro nos dijo que Serafín le había pedido que le llevara los guantes. Según parece había una enfermera jovencita que le atendía, y no podía admitir que le viera derrotado y vencido en la cama. Y le pedía a Nacho Castro que le pusiera los guantes. Ella se reía mucho al verle y eso le hacía sentirse feliz. ¿Sabes qué nos dijo una vez?

Eva negó con la cabeza. Sus ojos entornados brillaron como una delgada línea de oro.

—Que las mujeres enloquecen por las manos de los boxeadores. Piensan que son sagradas, por todo lo que han tenido que sufrir.

No se oía nada, salvo el murmullo del mar.

—Desde luego, los hombres estáis locos de atar. Son increíbles las cosas que se os ocurren.

—Sí, eso pensaba, que para las mujeres el sufrimiento es sagrado. Serafín estaba tan delgado que parecía una calavera, y sin embargo se ponía los guantes para gustar a aquella jovencita que entraba con su uniforme blanco, cuya actitud era la de una amiga o compañera de juegos. Y lo más gracioso es que estaba convencido de que ella estaba loca por él.

—Los hombres nunca termináis de crecer.

—Nos enteramos de su muerte cuando ya llevaba varias semanas enterrado y Alberto me llamó una tarde para que fuéramos a visitar su tumba. Estábamos en primavera, y recuerdo que antes de llegar al cementerio pasamos por un camino lleno de guindos. Sus flores blancas parecían las almas de los difuntos. Se quedaban prendidas de las ramas antes de emprender su último viaje. No importaba lo infelices que hubieran podido ser: ninguna quería abandonar el mundo en que había vivido.

Eva tendió su mano y me acarició la mejilla. Estaba visiblemente emocionada.

—La tumba era muy sencilla, y estaba situada en una pequeña ladera. Recuerdo que por todos lados crecían esas flores amarillas que llenan las cunetas y los solares de las casas. Nacho Castro se había encargado de pagar los gastos y había mandado grabar la lápida con su nombre, Serafín Parra, y su alias, el Centella. Y debajo, en letras mayúsculas, había escrito: BOXEADOR. Y ¿sabes qué hizo Alberto?

La brisa se había detenido y, a lo lejos, volvió a escucharse la música. Una música evocadora y dulce como los recuerdos de aquel verano.

—Se puso a buscar entre las tumbas y no paró hasta dar con un trozo de yeso, con el que añadió a la lápida: «Fue amante de Frances Dee, la mujer más bella del mundo».

Dije esto sin dejar de mirar a Eva, que me escuchaba sin pestañear. Al abandonar la juventud una especie de prevención absurda nos llevaba a quitar importancia a los momentos en que se había revelado el amor, pero puede que nuestros sentimientos nunca volvieran a ser más intensos que entonces y que el resto de nuestra vida no fuéramos sino fantasmas tratando de recuperarlos. Eva y yo, ¿no estábamos allí por eso? Todos los fantasmas hacían lo mismo: tratar de volver a los lugares donde habían sido felices.

—No me lo puedo creer. Todo eso te lo estás inventando.

—Te lo juro. La lápida está allí, en el cementerio. Y te aseguro que Alberto hizo exactamente lo que te he dicho. No sé cuánto de verdad había en lo que contaba, pero Serafín había hecho de aquella actriz el centro de su vida y era justo que su nombre le acompañara hasta el fin de los tiempos. Como le pasó a Rilke con la rosa.

—¿Qué quieres decir?

—Rilke tenía leucemia, pero se cuenta que fue la infección producida por el pinchazo de una rosa, que había cogido para ofrecérsela a una amiga, la que le hizo morir. En su epitafio habla de ella.

—¿Cómo es?

—No me acuerdo exactamente, pero viene a decir que no es posible distinguir la rosa soñada de la real.

—¿Como nos pasa a nosotros con el pasado? —murmuró con una sonrisa triste.

Sí, pensé, como pasa siempre con la vida de los seres que hemos perdido y que sólo recuperamos a través del recuerdo.

La luna se había vuelto amarilla y brillaba en el cielo como en lo alto de un tapiz. Los ojos de Eva parecían semillas arrastradas por el viento. De la orilla nos llegaban pequeños ruidos, como los que hacen los animales por la noche. Los hombres estábamos ávidos de belleza y queríamos confiar en ella. Pero esto no era posible porque la belleza nunca duraba lo suficiente. Constantemente entrábamos y salíamos de ella.

—¿Sabes qué quiere la gente? —continué—. Sentido común, claridad, cosas reales. No es extraño, pues lo real es lo que compartimos con los otros. La realidad, por ejemplo, es el único lugar del mundo donde se puede besar a las chicas.

Eva sonrió al oír eso y me ofreció gentilmente su cara para que la besara. Lo hice y luego, sosteniéndola en la concavidad de mi brazo, la estuve mirando largo rato. Me pareció que nunca había visto nada tan pálido e inmaculado como su piel, ni tan deslumbrante como sus ojos.

—Esto es una tontería —murmuró junto a mi oído, mientras sus manos jugaban con las solapas de mi chaqueta—. Nos estamos portando como dos críos.

Volvimos a besarnos. Luego, se refugió en mi cuello y mi hombro, como una niña que se escondiera feliz tras una travesura.

—Hueles muy bien —murmuró.

Busqué su pecho. Notaba su piel suave y las leves ondulaciones de la carne. De su cuello y hombros emanaba la fragancia de los frutos.

De pronto se separó de mí. Su ojos, muy negros, me miraron intensamente abiertos.

—¿Por qué os distanciasteis?

No sabía a qué se refería.

—Alberto y tú —continuó—, ¿por qué dejasteis de veros?

Sí, entrábamos y salíamos de la belleza, que se escapaba de nuestras manos como la arena de oro de un torrente. Supe que estaba ocupando en sus brazos el lugar que tenía reservado para otro.

—¿Por qué me lo preguntas?

Se encogió de hombros. Había una expresión de sufrimiento en su cara y tenía la mirada perdida en la lejanía. Se levantó, y después de sacudirse la arena de la falda, me tendió la mano.

—Anda, vamos —me dijo, con una sonrisa distraída—, empieza a hacer frío.

Regresamos a la orilla. Eran sólo las doce de la noche, pero el lugar estaba deshabitado. Aquélla era una zona de veraneo y a esas alturas del año todos se habían ido. A unos cincuenta metros, vimos a un hombre que se dirigía a unos contenedores con una bolsa de basura.

—Ven —le dije a Eva.

El hombre acababa de desprenderse de la bolsa y regresaba a su casa cuando le abordamos. Le pregunté si había algún sitio cercano donde se pudiera tomar una copa. Llevaba zapatillas y su aspecto era sucio y somnoliento.

—No, por aquí no.

No añadió nada más, y en vez de seguir su marcha prefirió quedarse mirándonos. Especialmente a Eva. Me di cuenta de que había bebido más de la cuenta. Vivía en uno de aquellos apartamentos y se mataba a beber para defenderse de la tristeza. Me pregunté cuántos había en el mundo como él.

Eva me apretó la mano con fuerza.

—Bueno, ya nos vamos —le dije—. Perdone la molestia.

—No es nada —murmuró.

El tono de su voz traicionaba el esfuerzo que hacía por controlarse. Nos apartamos y, cuando unos segundos después volvimos la cabeza, aún continuaba en el mismo sitio, sin dejar de mirarnos.

—¿Te has fijado? —murmuró Eva a mi oído.

Aceleramos el paso. Y al doblar la esquina echamos a correr. Eva se sentía feliz y exaltada, como si cada cosa que pasaba constituyera una aventura para ella. La tomé del hombro y se refugió en mí.

—¿En qué crees que pensaba?

—Está claro. Pensaba en quitarme de en medio para quedarse solo contigo.

Eva sonrió complacida mientras me dedicaba una larga mirada.

—Seguro que era un psicópata. Te habría secuestrado y, después de hacer contigo todo tipo de barbaridades, te habría cortado en pedazos que iría repartiendo por todos los contenedores de basura. Seguro que en esa bolsa llevaba los restos de su crimen anterior.

—Qué bruto eres. Eso no se dice ni en broma.

Me acerqué a ella y la rodeé con mis brazos, pensando sin poder evitarlo en Alberto, y en que en todo el tiempo que llevábamos juntos no había hecho sino ocuparse de él. No era cierto que los muertos no estuvieran a nuestro lado. A veces, su presencia era más intensa y fuerte que la de los vivos.

—Tal vez yo quiera hacer lo mismo.

—¿Qué?

—Cortarte en pedacitos y tenerte guardada en el frigorífico, como aquel japonés que se comía a su amante. ¿Te acuerdas? Le llamaban de todos los sitios, y las salas en que daba sus conferencias se llenaban hasta los topes.

—Bueno, aquí estoy.

Esta vez Eva se relajó con cansancio entre mis brazos. Así la llevé cogida durante el resto del trayecto, con los ojos cerrados y el pelo cayéndole hacia atrás, como si fuera una chica ahogada.

Regresamos al coche. El aparcamiento frente al hotel estaba vacío y todas las luces del edificio permanecían apagadas. La luna era de nuevo radiante, suave y luminosa, y percibíamos el olor de los pinos que salpicaban la orilla. Vimos al camarero que nos había atendido. Estaba en la terraza fumando un pitillo y su camisa blanca destacaba frente a la masa de oscuridad del mar.

—Espera —le dije a Eva—, ahora vuelvo.

Salí del coche y me dirigí a su encuentro.

El humo se había detenido alrededor de su cabeza como si el aire fuera sólido. Le pregunté, como al hombre de la bolsa de basura, si conocía algún lugar próximo donde pudiéramos tomar una copa.

—Por aquí no creo. Tal vez en San Juan.

—No hay mucho trabajo, ¿verdad?

Negó con la cabeza. Los turistas se iban y las costas se despoblaban, como zonas sacudidas por la desgracia.

—Aquí no se queda ni el gato —añadió.

Me ofreció un pitillo.

—Les puedo facilitar una habitación —añadió con desgana—. Nadie les molestará.

—No, gracias —le contesté justificándome—. Sólo queríamos tomar algo. Estamos alojados en Alicante.

—Está bien.

No parecía importarle. Era como si ya no esperara nada. Ni siquiera tener algún cliente con que afrontar los gastos del hotel.

Regresé al coche.

—¿Qué hacías? —me preguntó Eva mecánicamente.

El coche estaba detenido junto a la única farola de la zona y la luz se colaba por la ventanilla. Estaba abstraída en sus pensamientos y sus rodillas desnudas parecían recoger esa luz. Me volví hacia ella y la toqué suavemente en el hombro, como para despertar a alguien que estaba durmiendo.

—Según parece, no hay en toda la zona un lugar miserable donde podamos tomar una copa.

Eva se encogió de hombros, al tiempo que se volvía hacia mí. La luz de la farola le obligó a entornar los ojos. Vi cómo su brillo se reflejaba en sus pupilas. Puse en marcha el coche y tomé la dirección de Alicante. Las rayas de la carretera se desplegaban como cintas sobre el asfalto reciente. Al pasar junto a una gasolinera, el rojo y verde del anuncio de neón me hicieron acordarme de nuevo de Alberto, y de lo mucho que le gustaba el cine, las películas de asesinatos, de espías, de monstruos. Las películas, sobre todo, en las que una muchacha hermosa estaba en peligro y alguien la salvaba.

—¿Sabes una cosa? —le dije a Eva—. El camarero me ofreció una habitación. Quería que nos quedáramos en su hotel a pasar la noche.

Eva no dijo nada, pero la vi reflejada en los cristales y me di cuenta de que habría dicho que sí. El problema no era salvar a las muchachas sino lo que venía después, lo que ellas querían y tú no podías o no sabías darles, esos tratos que siempre tenían con la parte extraña del mundo. Había una atmósfera irreal, como si todo aquello, el coche, la escena del camarero y la escena de las barcas, el hecho de que estuviéramos juntos, tuviera lugar en un sueño.

Al llegar a San Juan abandoné la carretera y tomé la desviación de la playa. Cruzamos una zona de chalets. Las casas flotaban en medio de los grandes jardines, como barcos fondeados en el puerto. Un poco más adelante, un enorme camión plateado nos cerró el paso. Era el camión que recogía las basuras. Iba muy lento y el aire propagaba el ruido del motor. Una bolsa de plástico se desprendió a su paso y voló por los aires como una especie de signo. «Así se llevará la noche vuestros sueños», parecía anunciar. Llegamos a una plaza con palmeras y la bordeamos hasta tomar una nueva calle. Las aceras eran allí de color rojo y había bancos de piedra blanca y esbeltas farolas que recordaban el cuello y el pico de los flamencos. Había grandes mansiones y cuidadas zonas verdes con rejas que daban a la calle. En una pequeña plaza vimos un bar. Tenía un letrero iluminado con su nombre: Florencia, y una pequeña terraza con gente sentada. Aparqué cerca y nos dirigimos hacia el bar.

—¿Podemos sentarnos? —le pregunté al camarero.

El camarero nos dijo que había un patio interior y que en él estaríamos más cómodos. El patio estaba cubierto por un toldo de color verde, y lo iluminaban farolas de gas, cuyas llamas temblaban como mariposas. Una de las paredes estaba cubierta de buganvillas y en su centro había una fuente adosada. Un medallón que recordaba esa famosa máscara de una iglesia romana en cuya boca los turistas meten la mano y deben decir la verdad a riesgo de perderla.

—¿Has estado en Roma? —le pregunté a Eva.

—Sí, claro, muchas veces. Jaime va allí con frecuencia y yo suelo acompañarle.

Me di cuenta de que había metido la pata y que aquellos viajes formaban parte de las obligaciones de su cargo.

—Supongo que te extrañará —añadió, con un rastro de melancolía en los ojos.

—No sé a qué te refieres —acerté a contestar. Estaba arrepentido de haber sacado aquel tema.

—Lo del Opus, que mi marido esté en una organización así. Ya lo ves, la chica que se subía a los tejados a rescatar pelotas es hoy una mujer de orden, defensora de los más rancios valores. Es increíble cuánto podemos cambiar, ¿no te parece?

—Bueno, suele suceder. La vida no es fácil para nadie.

Vimos acercarse a un violinista. Se inclinó ante nosotros. Sus ojos brillaban de una manera extraña y sus mejillas estaban rojas de excitación. Parecía un poco bebido. Se colocó el violín en el cuello como si fuese extremadamente frágil, y empezó a tocar. Era la *Marcha de Radetzky*, de Johann Strauss. La luna volvía a estar radiante y sobre las grandes mansiones soplaba una brisa salobre, que recogía los olores de los jardines y los transportaba hasta el patio. Los camareros iban y venían atendiendo las mesas y sus espaldas negras se perdían entre las sombras.

A nuestro lado, una pareja muy joven hablaba animadamente y, al oír la música, se levantaron y se pusieron a bailar. La chica no parecía hacer mucho caso a su compañero y se exhibía complacida ante los ojos de todos, como si fuera un deslumbrante ramo o una tela preciosa. Parecía estar preparándose para diversiones todavía inimaginables, para amantes que no había conocido aún.

—Me parece que he sido injusta con Jaime —dijo Eva—. En realidad es un padre y un marido maravilloso. No hace sino desvivirse por los demás.

—Por favor, Eva. No dudo de que tu marido sea una excelente persona, pero no pretendas convencerme de que la organización en la que está es una ONG dedicada a la defensa de los más desfavorecidos. Franco llegó a parecerles un excelente compañero de viaje.

Eva se quedó pálida, pues no se esperaba una reacción así. Aunque me hubiera gustado no tocar aquel tema, ya no podía dar marchar atrás.

—Incluso desde el punto de vista de una mujer —añadí— deberías sentirte ofendida. Esposas, madres y buenas sirvientas, eso es todo en lo que esperan que os convirtáis.

Eva cambió de posición sobre la silla, se sentó encarada a mí y me miró de frente.

—Exageras, pero no los voy a defender. Te recuerdo que yo no soy del Opus. Nunca quise pertenecer a la Obra y tengo que decirte que Jaime siempre me ha respetado.

—Sin embargo, trabajas con ellos…

—Sí. Bueno, en uno de sus hospitales. Soy médico.

—Y llevas a tus hijas a uno de sus colegios.

—No, eso no. Van a un colegio de monjas de lo más normal. Elegí el que estaba más cerca de casa.

Me fijé en que tenía los ojos llenos de lágrimas.

—Oye, lo siento —murmuré, tratando de reparar el destrozo—. No he querido ofenderte.

—No, no importa —dijo Eva—. No somos nosotros los que mandamos en nuestra vida, es ella la que nos lleva. Es como si nadáramos en un río y no pudiéramos escapar a la fuerza de su corriente.

—Podemos nadar contra esa corriente. Podemos ganar una de sus orillas y tal vez buscar otro río.

Nos miramos a los ojos tratando de adivinar qué queríamos, qué esperábamos el uno del otro. Hurgábamos en nuestro interior como los hombres remueven la tierra buscando tesoros.

Un gato se deslizó entre las mesas. Volvió la cabeza para mirar por encima del lomo, como si sintiera curiosidad por aquellas conversaciones entre las parejas humanas. Los ojos del animal, todo pupilas, reflejaban el resplandor púrpura de las farolas.

6

Estaba loca por vosotros.

—Sus labios estaban frente a mí. Los labios que acababa de besar en la playa. Recordé el tacto suave de su lengua, que había tocado con la mía un momento.

—Exageras, ¿no te parece?

—No, de verdad. No sabes bien lo que supuso para mí aquel verano. A mi regreso, sólo pensaba en todo lo que habíamos hecho.

—Sobre todo en Alberto, ¿verdad?

Eva se puso seria. No quería hacerme daño, pero tampoco tenía sentido mentir. Aun así, pasó lentamente sus dedos por mi frente, como la madre que acaricia a su hijito enfermo, aunque sepa que no le puede ayudar.

—Sí, es verdad, sobre todo en Alberto. No podía borrarle de mi pensamiento. Su recuerdo se presentaba con tal grado de realidad que muchas veces me parecía que estaba sentado a mi lado diciéndome qué tenía que hacer. Con qué ropa estaba más guapa, qué debía contestar a lo que me decían, o que me fijara en cosas que yo sola habría pasado por alto. Como si este mundo fuera sólo un corredor y el verdadero palacio estuviera más allá, donde él me estaba esperando. Sentía un amor como no había conocido nunca, pero también un profundo desconsuelo, porque no entendía por qué no había hecho caso a la nota que le envié.

Tampoco lo entendía yo. Alberto no me había hablado nunca de esa nota, y yo había sido testigo del dolor que la inesperada marcha de Eva le había causado. Llegó literalmente a enfermar, y se pasó días enteros sin apenas salir de casa. Yo no sabía qué decirle. En aquel tiempo las chicas no eran mi especialidad. No era fácil entender qué querían, al menos en los asuntos del amor, a los que sin embargo daban la mayor importancia.

—Puede que aquella nota no llegara a sus manos —añadí, tratando de mitigar su desconsuelo.

—Sí, claro que lo hizo. Fue uno de los hermanos pequeños de Paz Zulueta quien se la llevó a la tienda. Era un poco alocado y no me fiaba demasiado de él, por lo que me quedé a vigilar. Alberto estaba detrás del mostrador, con aquel guardapolvos gris que tanto le torturaba, pero con el que a mí me enternecía verle, y vi cómo recogía la nota y cómo la desplegaba para leerla. Pero no se dio por enterado, no me preguntes por qué.

—Algo tuvo que pasar. Algo que no sabemos. Tal vez un imprevisto, que su padre le reclamara para algún trabajo de última hora en la tienda, que un familiar enfermara…

—Paz os vio esa misma tarde. Yo había citado a Alberto a las seis, en el pequeño embarcadero que había junto a las pisci-

nas, y le estuve esperando más de tres horas. Estaba desesperada y, como tú dices, en lo primero que pensé fue en que podía
haberle pasado algo, pues no me cabía en la cabeza que me estuviera dando plantón. Recuerdo que empezó a soplar un poco
de viento y que el aire se llenó de esas semillas de las plantas que
parecen plumas. Era como si estuvieran matando a todas las
aves del mundo. Luego me encontré con Paz y me dijo que os
había visto en los futbolines. Puedes imaginarte lo que supuso
para mí. Creo que pocas veces me he sentido más desgraciada.
Y lo peor es que ya no tenía tiempo para enmendar nada; al día
siguiente salía para Bilbao, pues mis vacaciones se habían terminado. Me pasé la noche llorando.

Nos quedamos en silencio. Eva se había reclinado en su silla
y las sombras oscurecían su rostro. En la distancia, se oyó por
unos momentos el sonido de una canción, lánguida y amorti-
guada, que parecía lamentar la triste suerte de los que eran abandonados. Soplaba una leve brisa y el murmullo de las hojas se
mezclaba con el sonido de esa canción.

—Es extraño el amor —dijo Eva—. Nos hace acercarnos a
los demás sin saber quiénes son realmente ni a qué tipo de con-
tagios estamos expuestos, y recibimos de ellos sustancias que
nos cambian para siempre.

Empezó a caer un relente finísimo. Las manos de Eva reposaban sobre la mesa, y yo las cubrí con las mías para protegerlas
de la humedad. La noche era un libro misterioso lleno de nombres y símbolos.

Eva continuó hablando:

—Llegué a Bilbao hecha polvo y allí me estaba esperando Jaime. Llevaba un mes sin verle y le encontré muy cambiado, más maduro y sereno, como si en ese tiempo se hubiera transformado en un hombre. Creo que se dio cuenta de que me había pasado algo, pero evitó preguntármelo y se lo agradecí. Empezó a tratarme como el más cortés de los caballeros. Me iba a buscar y cuando me veía cansada me hacía sentar en un banco o en la terraza de un café, me invitaba a pasteles y venía conmigo sin protestar a ver esas películas románticas y tontas que nos gustan a las mujeres. Esas películas en las que el amor lo puede todo y en las que los amantes sólo buscan el bien en el otro, nunca el mal. Se ocupaba de mí como si fuera una enferma. Y, en realidad, lo era. Dormía fatal, tenía pesadillas y angustias repentinas que me impedían respirar. Os tenía constantemente a Alberto y a ti en mi pensamiento. Recordaba nuestros paseos, nuestras conversaciones, aquel mundo en que uno podía hacer las promesas más desatinadas con el convencimiento de que tarde o temprano se cumplirían. Me parecía que mi alma se había quedado en ese mundo y que me mantenía viva por alguna otra cosa, como pasa con los animales.

»Un día me enteré por el periódico de que en un cine de barrio, en uno de aquellos programas dobles donde pasaban películas antiguas, ponían la película del monstruo de la laguna negra y le pedí a Jaime que me llevara a verla. Jaime sólo se movía por el centro de la ciudad y no frecuentaba los barrios, pero no dudó en concederme el capricho. Me pasé toda la película llorando. Especialmente en aquellas escenas en las que la guapa científica se baña despreocupada en la laguna, y el monstruo la observa escondido entre los matorrales. Claro que yo no podía sentirme en el lugar de la chica, sino en el del pobre monstruo que la veía nadar extasiado, preguntándose de dónde podía haber salido una criatura así y qué había ido a buscar a su lúgubre mundo. Sí, no podía ser aquella muchacha, sino el monstruo que había vivido densa y oscuramente, y que de pronto descubría una falta, un hueco por el que alguien de otro mundo se colaba en el suyo. Y os recordaba a vosotros hablándome de aquel viejo boxeador que había llegado a interpretar alguna de las escenas del monstruo, cuando estuvo en Hollywood, sirviendo a aquella actriz de la que se había enamorado y que terminaría por ser la causa de su ruina. Y de cuando le íbamos a ver al bar y Alberto y tú le pedíais que interpretara a aquella criatura, y él, lentamente, pues el alcohol le impedía casi permanecer de pie, extendía las manos y con movimientos torpes y rígidos se ponía a caminar de un lado para otro, con los ojos fijos en el vacío. Sí, pensaba en aquel pobre hombre y pensaba en vosotros y en mí, y me parecía que todos éramos como aquella criatura absorta en la cubierta iluminada del barco, tratando de acercarse a un mundo que nunca podría pertenecerle.

Eva se inclinó sobre la mesa y su rostro, antes en la sombra, volvió a iluminarse. Era el gesto del que inesperadamente entrega lo que tiene, sin esperar nada a cambio.

—Jaime nunca me exigió nada —continuó—. Tampoco lo hace ahora. A veces le pido estar sola, y lo acepta. No me pregunta adónde voy, ni lo que hago. No te creas que hago nada es-

pecial, o que voy por el mundo buscando aventuras amorosas.
—Eva sonrió maliciosamente al decir aquello—. Visito lugares
que me gustan, y permanezco en ellos hasta que echo de menos a
Jaime y a las niñas y regreso a casa. ¿Por qué tendría que juzgarle
por sus creencias? A veces, en la iglesia, me quedo mirando a la
gente que acude a rezar. Suelen ser mujeres mayores, que se arrodillan en silencio y cruzan las manos en una delicada actitud de
oración. ¿Qué daño hacen a nadie? Buscan consuelo, se enfren-
tan con sus lágrimas a las desgracias y los sinsabores de la vida, y
se arrodillan asustadas para rezar por los que aman. Creen que
Dios es amor y que no puede abandonarlas. ¿Es eso tan malo?

—No, no lo es. Sin embargo, en las iglesias no sólo se ven
viejecitas piadosas. Basta asomarse a una de ellas un domingo
por la mañana. La gente más impresentable se pavonea en sus
bancos como en esos clubes sociales a los que acuden para hablar
de sus coches, sus cuentas bancarias y sus inversiones. Hasta
ahí llega su alto concepto del más allá. Lo ven como una urba-
nización en la que, como es lógico, ya tienen comprada la parce-
lita con la que asegurarse una eternidad sin sobresaltos.

Eva no pudo dejar de sonreír ante mi ocurrencia, aunque enseguida volvió a ponerse seria. Luego, mirándome fijamente,
añadió:

—Te voy a contar algo que me pasó una vez. No pretendo
que lo creas, ni que me digas qué te parece, sólo que me escuches.

—O sea, que no puedo interrumpirte.

—No, está prohibido. Oír, ver y callar, es todo lo que tienes
que hacer.

Tenía una de sus manos entre las mías y sentí el deseo de besársela. De apoyar en ella mi cabeza como me gustaba hacer de niño con las manos de mi madre. Ponía mi rostro sobre sus manos abiertas y ella me pedía que cerrara los ojos, porque las cosas importantes había que escucharlas con los ojos cerrados. Me contaba entonces cómo era el camisón que llevaba la noche de bodas y el hotel en que habían estado. Una habitación muy cara en la que había espejos redondos como ojos de buey, esferas de mármol blanco y esculturas de mujeres desnudas, suaves como la cera, y donde las cosas más que brillar resplandecían. Todas las mujeres soñaban con su noche de bodas, y sin embargo raras veces eran felices en ella. «No es verdad que los matrimonios se hicieran en el cielo, solía decirme; de ser así, ¿por qué iba a haber tantas parejas desgraciadas?»

—Me quedé embarazada al poco tiempo de casarme con Jaime. Deseaba tener un niño, y la noticia me volvió loca de felicidad. Y el bebé resultó ser una niñita preciosa a la que no me cansaba de mirar. Creo que nunca en mi vida he sentido una gratitud y un asombro mayor. Recuerdo aquellas salidas al parque con el cochecito. Ni el cielo, ni la arena del paseo, ni las piedras o el agua del estanque estaban muertas. Todo vivía, la tierra, el sol, cada brizna de hierba. Y yo, cada poco, me detenía y, acercándome a mi hijita, le decía, como si ella me pudiera entender: «¡Mira, Clara, las maravillas de Dios!». Y cuando nadie nos veía, la sacaba del cochecito y me ponía a bailar con ella por el paseo, bajo la protección de las grandes hojas de los plátanos y el arrullo de las palomas. No creo que pudiera haber en el mundo nadie más feliz que yo. Entonces volví a quedarme embarazada. Quería tener más hijos, pero hubiera deseado que no fuera tan pronto, pues Clara era aún muy pequeña y cuidar de ella me llevaba todas las horas del día. Aun así, recibí la noticia con regocijo. Jaime estaba más cariñoso que nunca y me colmaba de regalos y de atenciones. Y yo sentía ese poder que sienten todas las mujeres cuando van a ser madres, el poder de dar órdenes a la naturaleza y de obtener lo que quieren de ella. Sí, bajaba a ese bosque que era el mundo y le pedía niñitas que luego llevaba a mi marido, olorosas y limpias, como si acabara de amasarlas con flores. Y Jaime me miraba con esos ojos asombrados con que miramos a los magos que sacan palomas de su chistera.

Eva hizo una breve pausa y bebió un poco de agua. El agua humedeció sus labios. Tenía cuarenta y cinco años, pero parecía una mujer joven, alguien para quien la vida sigue llena de promesas. Alguien a quien no le importa que estas promesas sean insensatas porque confía en que todas se cumplirán.

—Pero mi segundo embarazo no fue como el primero —continuó—. Es más, fue un auténtico desastre. Estuve a punto de abortar y sufrí unas terribles infecciones de riñón, que yo no quería tratarme, pues temía que los medicamentos pudieran dañar al bebé. Me pasé varios meses en la cama. Recuerdo que a veces me quedaba contemplando el pequeño moisés, con sus ropitas preciosas, y que a mí me parecía lleno de oscuridad, de vacío, un nido vacío para siempre. Cuando por fin nació la niña y vi que todo había salido bien, me eché a llorar. Creo que lloraba por la misma razón que la gente llora en las bodas o ante un final feliz, porque necesita con desesperación creer en algo que sabe que no es verdad. Y eso me parecía a mí, que aquella criaturita era demasiado pequeña, demasiado frágil, que no iba a saber cuidarla y que se iba a morir en mis brazos. Supongo que sufría una de esas depresiones posparto que tienen que ver con los bruscos cambios hormonales que se producen al final de los embarazos, pero te aseguro que es lo más terrible que he experimentado nunca. De pronto era como si no existiera el futuro, como si viviera en un instante eterno de cuya oscura fatalidad no podía alejarme. Coincidió además con una época en que Jaime tuvo que irse a Estados Unidos, donde estuvo cerca de dos meses, perfeccionándose en una nueva técnica para el trasplante de riñón, y tuve que afrontar sola todos aquellos problemas. Teníamos una buena posición económica y disponía de chicas que me ayudaban con las niñas, pero con ellas no podía hablar de los temores que envenenaban mi alma. Estaba tan desesperada que me revolví contra Jaime. No entendía por qué se había ido, dejándome así. Me sentía sola y, en consecuencia, abandonada y vencida. Como si me hubieran dejado plantada, como si se me hubiera roto el corazón. Y de pronto todo lo relacionado con mis hijas empezó a darme una enorme angustia. Las veía y me parecían demasiado pequeñas y frágiles para sobrevivir en aquel mundo lleno de peligros. Me despertaba por las noches para ver si respiraban, o para comprobar si estaba cerrado el gas. Llegaba a enfurecerme con las chicas que las cuidaban, pues siempre me parecía que no ponían la suficiente atención y que todo lo hacían mal. Que no trituraban bien los purés y que las niñas podían ahogarse, que el agua de la bañera estaba demasiado caliente... Cualquier pequeña alteración en su salud me llevaba a la sala de urgencias de los hospitales. Leía en los periódicos noticias sobre niños que morían o las enfermedades que podían tener, y el mundo me parecía un lugar sombrío y lleno de amenazas. Incluso llegué a dudar de mi fe. No podía entender por qué existía el sufrimiento, sobre todo en los seres que no eran culpables de nada. Por qué nacían niños deformes, por qué existía el cáncer y la esquizofrenia, o por qué los desastres naturales afectaban mucho más a la pobre gente que nada tenía. Había un terremoto en San Francisco o Tokio y sólo se caían unas casas; lo había, con el mismo grado, en Irán o en Indonesia y morían miles de seres humanos. Cómo era posible que Dios permitiera todo esto. También los animales me daban pena. ¿Por qué los teníamos que matar? Me detenía ante los caballos que entonces todavía se veían en las ciudades, con su carga de leña o carbón, y me parecía que me miraban como reprochándome que me sintiera más importante por haber nacido mujer. ¿Era yo mejor que ellos? Todo esto puede parecerte una locura, pero era literalmente así. No sé por qué nuestra mente hace estas cosas. Se vuelve contra nosotros. Dicen que el hambre puede llevarte a devorar tu propio corazón. Y eso era lo que me pasaba a mí con mi pensamiento, que devoraba mi vida entera.

La brisa se había detenido y el césped resplandecía junto a las farolas. Las copas de los árboles que se veían por encima de la tapia parecían nubes de ceniza. La voz de Eva, sin embargo, me llegaba tenue y clara como una corriente de agua. Si cerraba los ojos podía escuchar aún el eco de algunas de sus palabras: abandono, sufrimiento, niños enfermos, devorar tu propio corazón… ¿Qué podía contestarle?

Eva siguió hablando:

—Adelgacé no sé cuántos kilos, y cuando Jaime regresó de Estados Unidos se asustó de verdad al verme porque parecía literalmente un esqueleto. Me llevó a visitar a un amigo suyo psiquiatra que me recetó vitaminas, ansiolíticos, antidepresivos… el vademécum farmacológico completo. Y empecé a mejorar, sobre todo porque Jaime, lleno de remordimientos por haber estado fuera de casa tanto tiempo, vivía sólo para ocuparse de mí. Pero aun así, aquel temor constante a que pudiera pasarles algo a mis niñas me agobiaba sin descanso, especialmente por las noches, en que la oscuridad se llenaba de los más negros presentimientos. Empecé a ir con regularidad a la iglesia. No iba a una en particular, ni de forma premeditada. Iba por la calle y, de pronto, al pasar ante alguna, sentía el deseo de entrar. Es extraño encontrar en medio de las ciudades lugares así, llenos de quietud y de maravilloso silencio. Me gustaba adentrarme en esas iglesias, como habría hecho en el claro de un bosque, y llevar a cabo todos esos gestos mínimos, atentos y corteses, que realizan invariablemente los que las visitan. Sumergir los dedos en el agua bendita, arrodillarse, inclinar la cabeza, juntar las manos con delicadeza, hacerlo con el sentimiento de una deuda infinita que nunca podrían pagar. Sí, eso me parecía, que el mundo era expresión del pensamiento de Dios, y que todo lo que sucedía tenía que ver con ese pensamiento, aunque nosotros, que éramos sólo una parte minúscula, no pudiéramos aspirar a entenderlo. «Si todo lo que sucede es voluntad suya —me decía una y otra vez tratando de tranquilizarme—, ¿qué sentido tiene que viva llena de temores?» Tal vez no tuviera sentido, pero lo cierto era que a pesar de mis rezos y mis buenas intenciones esos temores volvían a mí, especialmente por las noches, provocándome una enorme angustia. Me levantaba de la cama y corría a las cunitas de mis hijas para ver si respiraban; y terminaba llevándomelas conmigo y dormía abrazada a ellas para protegerlas de los peligros. Al día siguiente volvía a acudir a la iglesia para rezar. No he sido nunca una beata, pero ese tiempo que pasaba en la iglesia rezando era el único en que lograba serenarme un poco.

Eva se detuvo un momento y me miró fijamente. Sobre la mesa estaba mi vaso de ginebra y lo cogió para llevárselo a los labios. El hielo tintineó en el cristal, como si hubiera sido la voz que le hubiera gustado tener.

—Y entonces pasó lo que tanto temía —continuó—. Alguien dijo que todo lo que temes con fuerza tarde o temprano termina por cumplirse y ése fue mi caso. Clara, mi hija mayor, se puso súbitamente enferma, y en apenas unas horas estaba al borde de la muerte. Recuerdo esa tarde, cuando nos llamaron del colegio, y cuando la vi sobre el pequeño sofá del director como un muñequito que hubiera perdido sus hilos y que permaneciera inerte y desarticulado en el suelo del escenario, como el momento más incomprensible y atroz de mi vida. «¿Por qué Dios consentía que sucedieran cosas así?», pensé mientras la tomaba en mis brazos y abrazaba muy fuerte su cuerpecito contra mi pecho.

Cuando llegamos al hospital la niña ya estaba en coma. Los análisis demostraron que se trataba del peor tipo de meningitis, una meningitis bacteriana aguda, que en el mejor de los casos deja secuelas neurológicas irreversibles. Puedes imaginarte cómo estábamos Jaime y yo. Se le puso el tratamiento correspondiente, pero la niña no mejoraba. Pasé toda la noche a su lado y al día siguiente la gravedad persistía, pues los antibióticos no parecían hacerle efecto. Y llegó la segunda noche. Jaime y yo no nos separábamos ni un momento y pasábamos la mayor parte del tiempo abrazados al pie de su cama. Ya entrada la noche Jaime salió de la habitación para fumarse un cigarrillo y me quedé sola con la niña. Sus bracitos y su pecho estaban llenos de cables, y su cara reposaba inmóvil sobre la almohada. Una cara de seda o de agua pura. No parecía en peligro. Recordaba uno de esos charquitos que se forman en el suelo después de la lluvia, uno de esos charquitos que cuando finalmente vuelve a salir el sol reflejan el azul limpio del cielo y el vuelo de los pájaros… ¡Era tan hermosa! ¿Cómo era posible que se pudiera morir? No conocería lo que era el amor o el sabor de los besos, ni lo que era tener una niña que, como ella había hecho conmigo, tomara la leche de su pecho, ni sabría lo que era el delicado trastorno de la pena. En esos momentos hasta las lágrimas que vertíamos los hombres me parecían hermosas, porque formaban parte de la vida. Entonces me arrodillé ante su cama y empecé a rezar. «Dios mío, sálvala —decía—, no dejes que se muera. ¡Es tan linda y pequeña! ¿Qué culpa puede tener ella de nuestros pecados?» Permanecí un rato de rodillas, rezando con los ojos cerrados, y luego regresé a mi sillón. Estaba tan agotada que debí de quedarme dormida. Entonces sentí algo y abrí los ojos. Había en la habitación una luz extraña, una luz que no parecía venir del exterior sino de las mismas cosas, como si fueran ellas las que la desprendieran. Y al lado de la cama había un enfermero. Estaba junto a la niña y, al darse cuenta de que le miraba, me sonrió. Tenía la cabeza rapada y el rostro muy dulce, como si desde un punto invisible le llegara un rayo de sol. Iba a preguntarle quién era pero él se anticipó, llevándose un dedo a los labios para pedirme silencio. Transmitía una enorme sensación de paz. Entonces le vi poner la mano sobre la niña. Sólo un momento. Golpeó tres veces muy suave con la yema de los dedos en el hueso de su frente, como si llamara a una puertecita, como si preguntara si había alguien dentro y le dijera que ya era hora de levantarse. Y luego se dio la vuelta y se encaminó a la salida. Al llegar al pie de la cama estiró su mano y acarició el extremo del colchón. No me había fijado en su mano, pero al hacer ese gesto, y verla dibujarse con claridad sobre la colcha, vi que tenía una herida en el dorso. Cuando salió del cuarto, me levanté enseguida a mirar a la niña. Había experimentado una increíble mejoría. Su respiración era casi normal y apenas tenía fiebre. «Mi cielo —le pregunté—, ¿estás bien?» Y ella abrió sus ojitos y me reconoció. «Hola, mamá», me dijo. Había despertado del coma. Entonces salí corriendo al pasillo para llamar a aquel enfermero, pero no lo encontré. El suelo brillaba como si el agua corriera por él. Regresé a la habitación y llamé al timbre con insistencia. Sólo veía la mano de aquel hombre, aquella herida que la traspasaba dibujándose intensamente roja sobre la blancura de la colcha. Cuando llegaron las enfermeras de guardia, les tendí el brazo como alguien que se ahoga y suplica ayuda. Estaba agotada por la emoción, pues acababa de comprender lo que había pasado.

—¿Qué quieres decir?

—Que fue él quien la salvó...

Hizo una pausa. Eva parecía disfrutar al contar aquello, como si me estuviera desafiando. Sus ojos relucieron con el destello de una cerilla al encenderse.

—Pensarás que estoy loca, ¿verdad?

Iba a decir algo, pero me limité a levantar los brazos en un gesto de derrota y de súplica. Debo reconocer que a esas alturas mi preocupación iba en aumento. No sabía qué pensar de todo aquello, ni si Eva hablaba en serio o no. Puede que fuera una de esas neuróticas que terminan por creerse sus propias fantasías. Una de esas mujeres en las que todo es representación, que viven como si estuvieran escuchando algo que se acerca sigilosamente y de lo que sólo ellas se dan cuenta, que tienen crisis incomprensibles si ven a un cuervo muerto, a un gato atropellado por un coche, o una nube en un cielo claro.

—No, no me contestes —me dijo Eva con una sonrisa—, estoy acostumbrada a que nadie me crea. Ni siquiera Jaime lo hizo. Recuerdo que se lo conté cuando nos quedamos solos. Estábamos dando un paseo por el jardín. Hacía algo de frío pero ya se veían indicios de primavera. Los árboles aún estaban desnudos, pero sus yemas empezaban a abrirse en los sitios donde daba el sol. También salían a la luz las primeras manchas de césped. Entonces le conté lo que había pasado en la habitación. Cómo me había dormido un instante y cómo al abrir los ojos había visto al enfermero de la cabeza rapada poniendo sus dedos sobre la frente de nuestra hijita. Jaime palideció, y se detuvo para encender un cigarrillo. Supongo que estaba pensando en cómo protegerme. Pero en esos instantes yo no le pedía que me arropara en sus brazos para darme esa protección, como había hecho otras veces, sino que se fuera conmigo por aquellos caminos de extravío y dulzura.

Supe que Eva me estaba pidiendo algo, aunque no supiera qué. Me sentía confuso, no alcanzaba a entender por qué me contaba aquello ni lo que quería que hiciera.

—El caso es que después de escuchar mi relato —continuó Eva—, se limitó a abrazarme contra su pecho. «Pobrecita —murmuró—, qué mal lo has debido de pasar.» Y así dio por zanjado el asunto. Ése ha sido siempre su recurso supremo, eludir lo que le crea problemas; como si fueran las palabras las que dan realidad a las cosas. Y, en efecto, no volvimos a hablar de ello. Y no digo que estuviera tan perturbada como para no concederle su parte de razón, pero ése no era el problema. Sí, puede que todo aquello tuviera que ver con una imaginación demasiado excitada por la angustia y la falta de sueño, pero nadie podría convencerme de que esa noche no había sucedido algo maravilloso y extraño. Algo que tenía que ver con el amor, con el hecho de que el mundo no estuviera abandonado a su suerte. Sí, eso me parecía: que había alguien que se ocupaba en secreto de nosotros, aunque no pudiéramos saber quién era ni la razón por la que lo hacía. Puede que porque le hiciéramos gracia, como a nosotros nos hacen gracia las cosas que les pasan a los niños.

Estaba tan cerca que no pude resistir la tentación de volver a besarla. No opuso resistencia. Me dejó jugar con su boca como una de esas bellas durmientes de los cuentos para las que el amor es un estado ajeno a su voluntad. «Se está despidiendo de ti —pensé—, cuando termine la noche la verás en el andén agitando su pañuelo blanco.»

—Y de mí, ¿quién se ocupa? —le dije, de pronto, tratando de dar un giro a aquella conversación.

—No temas, lo estoy haciendo yo —contestó Eva, abrazándose a mi cuello; tenía el aroma de las manzanas del verano.

Todo había sido creado para que en ningún momento pudiéramos salir de la duda.

—¿Sabes lo que pienso? —continuó, apartándose—. Que a la gente le asusta que seas demasiado feliz; piensa que eso te acarreará la desgracia. Pero no hay que temer la felicidad.

Eva se rió con ganas. En realidad, no paraba de reírse por todo. Me gustaba pensar que yo contribuía a ello.

—Sí, ésa era la enseñanza de la película que contaba vuestro amigo el boxeador: el paraíso sigue aquí, en el mundo, y sólo hay que encontrar la puerta que nos lleva hasta él.

—¿Y es cierta?

—Sí, claro que lo es. Pero aún hay otra cosa. Ese paraíso debe incluir a los muertos. Si no, ¿para qué serviría?

Eva suspiró débilmente, y volví a besarla. Esta vez tocando sólo sus labios con los míos, como si quisiera comprobar que era real. «Nada de esto sucede de verdad», pensé. Nuestra vida era un taller de desguace. La chatarra eran los fragmentos de viejos sueños.

—Poco antes de venir a este congreso —continuó— tuve una bronca con varias señoras de la Obra. Me llevaron por centésima vez a una de sus convivencias, tratando de ganarme para su causa. Hablaban del divorcio, de la ley del aborto, del desprecio a la vida, del estado general de corrupción en que viven los jóvenes, y de cómo había que reaccionar y emprender algo así como una nueva cruzada para defender la familia y los valores cristianos, y tanto llegaron a hartarme que no pude contenerme más. Les dije que en mi opinión el mundo no estaba tan mal y que tal vez fuera bueno que cada cierto tiempo se pusieran las cosas patas arriba.

—Desde luego, no entiendo cómo te aguantan.

—No te creas, les da completamente igual. Por un oído les entra y por otro les sale. Sólo oyen lo que quieren oír. Pero yo creía de verdad en lo que estaba diciendo. Es más, cuando dije todo eso estaba pensando en vosotros. Acababa de encontrarme una caja con las fotografías que me había hecho aquel verano. Yo estaba junto a Beatriz Ocaña y a sus amigas y se veían las piscinas Samoa, el parque, la calle Santiago y ¡hasta un castillo! Creo que era un castillo al que fuimos una tarde de excursión. En la más bonita, estábamos todas en aquel reloj de sol que había no sé dónde, como una bandada de preciosas ocas dispuestas a reemprender el vuelo. Nos aguardaba un futuro lleno de promesas.

Eva volvió a coger mi vaso de ginebra. Esta vez no se limitó a mojar los labios, sino que bebió un buen trago. Más que sedienta parecía necesitada de fuerzas para continuar. Fuerzas para continuar viviendo porque aquellas promesas no se habían cumplido.

—¿Te pido una copa? —murmuré, poniendo mi mano sobre la suya.

Pero Eva retiró su mano con un gesto de dolor.

—Y en ninguna de esas fotografías estabais Alberto y tú. Siempre me pareció una pena, porque era esa fotografía la que más me habría gustado tener.

Estuve a punto de decirle que sí existía una fotografía así, que me la había dado la mujer de Alberto después de su muerte, pero Eva siguió hablando y preferí no interrumpirla:

—En mi casa teníamos una vecina que era un verdadero caso. Mi madre la quería mucho y subíamos a verla muchas tardes. Había sido actriz y, como suele ser frecuente en esos ambientes artísticos, se había casado tres veces. Y sus tres maridos habían muerto. Mi madre se llama Julia y ella solía decirle: «Querida Julia, la redención tiene que llegar; esto no puede durar siempre». No estaba muy claro a qué se refería cuando hablaba de la redención, pues no era en absoluto una persona religiosa, o no al menos de una manera típica. Sin embargo, a menudo hablaba del día del Juicio Final, y de cuando los ángeles tocaran sus trompetas y todos los muertos abandonaran las tumbas. Y que lo harían con sus cuerpos más resplandecientes, no con esos tan lamentables y llenos de pellejos en que el paso del tiempo los había ido transformando, y que ya no servían ni para tacos de escopeta.

Eva se rió con ganas al decir aquello.

—Era así como lo decía. Por lo visto, uno de sus maridos había sido cazador, y empleaba a menudo esa expresión tan graciosa para referirse a algo que no valía para nada. Pues bien, se imaginaba ese instante y veía a sus tres maridos acercándose a ella reclamando cada uno el derecho de prolongar en la otra vida las cláusulas de su contrato matrimonial. Pero ella pasaba de largo y se ponía a buscar a un muchacho que había conocido cuando apenas tenía veinte años. Era músico, tocaba el violonchelo y se habían enamorado locamente, aunque luego ella le hubiera sido infiel, porque a esas edades se tiene la cabeza llena de pájaros y se hacen muchas tonterías. Poco después aquel muchacho murió en un estúpido accidente de autobús, y con el paso del tiempo mi vecina había comprendido que era él la persona a la que había amado más, y que si existía el día del Juicio Final y el milagro de la resurrección de la carne sólo podía ser para reunirse con él. Con sus maridos, ni loca. Ya había tenido bastante con aguantarles en vida para tener que hacerlo durante toda la eternidad.

—¿Qué quieres decir, que no te irías con Jaime? —le pregunté, divertido.

—¿Quién sabe? —dijo, jugando con el vaso de ginebra—. Puede que no, puede que no me fuera con él.

Nos quedamos callados por unos instantes. Los camareros habían retirado las mesas del centro y apagado alguna de las luces. Empezó a sonar la música. La pareja que había a nuestro lado se levantó y se puso a bailar.

—No te aburro, ¿verdad?

Negué con la cabeza. Me fijé en Eva, que seguía las evoluciones de la pareja en la pista de baile. Su cuerpo resplandecía tímidamente, como algo que se estuviera ofreciendo. Sí, eso era la carne del hombre, ofrecimiento, memoria de la dicha. Sólo los cuerpos que habían amado guardaban las promesas de la resurrección.

La pareja bailaba sintiéndose observada, como una de esas parejas de bailarines profesionales que contratan las salas de fiesta para dar ambiente. La chica llevaba las cejas depiladas formando un arco fino y su boca roja era brillante como la mermelada. Me parecieron víctimas o perpetradores de un fraude enorme.

Eva, sin embargo, los miraba complacida, como si necesitara creer que se amaban de verdad.

—Anda, vamos a bailar —me dijo, levantándose de la mesa y tendiéndome su mano para que la acompañara.

La pareja se apartó con una sonrisa de complicidad, como reconociendo a dos miembros más de aquella sublime religión del amor. Una religión que decía que el pecado era conformarse y que cuando podías elegir entre un bien grande y otro pequeño eligieras el pequeño. Eva me abrazó con fuerza. Sentía el calor de su cuerpo a través de la leve tela de su falda, lo que me causó una inesperada erección que no le pasó inadvertida.

—Vaya —murmuró, apretándose aún más contra mí—, me parece que por ahí abajo está pasando algo interesante.

—Me temo que sí —murmuré un poco avergonzado.

Volvimos a besarnos. O mejor dicho, fue Eva la que llevó la iniciativa. Tomó mi boca con avaricia, como si se tratara de comida.

Luego permanecimos estrechamente abrazados hasta que la pieza de música terminó.

—Quiero irme —murmuró Eva. Sus ojos brillaban como si tuviera fiebre.

Asentí con la cabeza y me puse a buscar al camarero para pagar. Eva no me quitaba ojo. Volví a pensar en que no estaba muy bien de la cabeza, que tal vez era de esas histéricas que te van envolviendo en sus hilos de araña hasta que te descubres enteramente paralizado. En ese caso, lo mejor que puedes hacer es escapar enseguida, antes de que empiece el festín.

—Sé lo que has estado pensando —me dijo, y me pareció ver el hilo de seda que segregaban sus dedos.

—¿Qué?

—Que soy una loca.

Se puso delante de mí, y pasando sus brazos por encima de mi cuello volvió a besarme. Tomamos la dirección de la salida. El camarero se inclinó cómicamente a nuestro paso y nuestros vecinos de mesa nos despidieron levantando las manos. Eva era de ese tipo de personas que poseen, como los niños pequeños, el instinto de establecer un contacto inmediato entre ellos y el resto del mundo.

—¿Y a qué conclusión has llegado?

Me encogí de hombros, sin saber qué decirle.

—Bueno, ya se verá, ¿a que sí?

Nos dirigimos al coche. Al llegar, Eva me retuvo de la mano y me dijo:

—¿Sabes qué voy a hacer? Voy a comprar una botella de vino y buscaremos algún lugar agradable donde poder bebérnosla. Hace una noche preciosa, y sigue sin apetecerme volver al hotel.

No me dio tiempo a reaccionar y regresó al restaurante. Se movía de una forma a la vez decidida y premeditada, como dando a entender que estaba a punto de cruzar un umbral donde era esperada con impaciencia. Unos minutos después regresaba con una botella de vino y dos copas de cristal.

—Tenemos copas —dijo con una amplia sonrisa, al tiempo que me mostraba triunfante su botín—; son un regalo del camarero.

Estaba radiante. La luz de la calle se reflejaba en el cristal de las copas que tenían el mismo brillo encantado que sus ojos.

—Le he contado —continuó— que tuvimos un romance en nuestra juventud y que acabábamos de encontrarnos treinta años después. Ha debido de gustarle la historia porque me dijo que algo así merecía que el vino se bebiera en unas buenas copas y que era la casa quien invitaba. Ya lo ves, todos se empeñan en proteger a los amantes…

Me acerqué a ella y la atraje hacia mí con ternura, sin dejar de mirarla a los ojos. La luz que bañaba su rostro la hacía parecer dócil, tierna y tranquila, pero me di cuenta de que en su interior estaba tensa y en estado de alerta.

—Pero eso no es posible.

—¿Qué? —murmuró casi sin poder hablar.

—Proteger a los que se aman. Sólo se podría hacer separándolos, pues el mayor peligro está en ellos mismos. Bien mirado, cuando una pareja llega al momento culminante de su amor lo mejor que pueden hacer es separarse. A partir de ese momento las cosas sólo pueden empeorar.

—No es una opinión muy positiva.

—Puede que no, pero es así.

Volví a besarla lentamente. No sabía qué estaba sucediendo. Aquel congreso al que habíamos acudido, el tedioso proceso de mi separación, toda mi vida durante aquellos años, me parecían un sueño, una pesadilla. Era una de esas noches que tienen el raro poder de invertir en nosotros el sentido de lo asombroso, en que lo inesperado deja de maravillarnos y sólo lo conocido desde antiguo, lo familiar, nos causa confusión y extrañeza. Como si de pronto descubriéramos que habíamos vivido una vida que nada tenía que ver con la que habríamos podido llevar.

—¿Soy un peligro para ti? —me preguntó.

—Desde luego. El mayor de los peligros.

—¿Y no te importa?

—No.

Eva se abrazó aún más fuerte contra mi pecho.

—¿Sabes lo que decía un personaje de Raymond Chandler? —le pregunté, al tiempo que señalaba la botella de vino—. Que el alcohol es como el amor. El primer beso es magia, el segundo intimidad y el tercero rutina. Después sólo queda desvestir a la muchacha.

Eva se rió.

—Eso no suena muy romántico, ¿no te parece?

Tuve la sensación de haber metido la pata. Sin embargo, a Eva parecía haberle divertido el comentario.

—¿Adónde quieres ir? —le pregunté, inquieto.

—Ya nos hemos besado tres veces, ahora toca que me desvistas —murmuró Eva, al tiempo que volvía a acercarse a mí y me besaba suavemente en el cuello.

Su respuesta me cogió tan de sorpresa que no supe qué contestar. No era propia de ella, aunque supongo que todos tenemos una múltiple personalidad.

—Pero no en el hotel, sino aquí mismo, en el coche. En los asientos de atrás. Como hacíamos cuando éramos jóvenes.

Nos montamos en el coche. Había abierto la ventanilla y me quedé unos segundos escuchando, como si muy lejos, en la oscuridad, pudiera oír una voz, una de esas voces calmas y pacientes que lo aclaran todo. No la escuché, y sabía que no la escucharía nunca.

Eva seguía conservando las copas de cristal en las manos. Parecían dispuestas a recoger las lágrimas que íbamos a verter, pues aquellos intentos de recuperar el pasado siempre terminaban fatal. «Detente —me dije—, todavía puedes enderezar las cosas. Basta con que tomes la carretera de Alicante, lleves a Eva a su hotel y te vayas al tuyo a dormir.» Pero seguí adelante. Yo era médico, y se suponía que tenía que entender lo que hacía actuar a la gente, pero no comprendía nada de nadie.

Fue Eva la que volvió a hablar:

—Bueno, la verdad es que no he hecho nunca el amor en el

asiento de atrás de un coche. Antes de Jaime no tuve ocasión y con él ni se me ocurrió intentarlo. No quiero ni pensar lo que habría dicho si le llego a proponer algo así...

Y luego, con una expresión melancólica, añadió:

—Supongo que hay muchas cosas que no hemos hecho y que nos hubiera gustado hacer.

—Y que probablemente ya no haremos nunca.

—Sí, y que no haremos nunca...

Puse en marcha el coche y regresamos a la carretera. Ninguno de los dos decía nada, y sin embargo había una corriente de entendimiento, como si por primera vez en la noche camináramos unidos por el mismo lugar. También el paisaje me pareció distinto. Las copas de los árboles se mecían suavemente, y al llegar al mar su tranquilo oleaje me recordó las suaves ondulaciones de los campos de espigas. Miraba a Eva de reojo. ¿En qué estaba pensando? Me hubiera gustado compartir sus sueños y la fragancia de sus recuerdos.

Se oyeron unos gritos extraños que resonaron en la noche como pelotas de goma.

—Quiero que me entiendas —continuó—. Amo a Jaime y por nada del mundo querría hacerle daño.

Su rostro parecía una luna pequeña bajo la gran luna blanca que flotaba en el cielo.

—Y sin embargo, cuando suenen las trompetas del Juicio Final y resuciten los muertos no será a él a quien busques.

—No, no será a él.

—¿Me buscarás a mí?

—No, sabes que no —murmuró con una sonrisa, mientras pasaba levemente el dorso de sus dedos por mi mejilla—. Aunque me gustas mucho. Me gustabas entonces y me sigues gustando ahora.

Los dos mirábamos hacia delante, como si en la carretera estuvieran escritas las cosas que nos teníamos que decir. Como si aquello fuera la escena de una película y sólo pudiéramos atenernos a los papeles que nos hubieran atribuido en el guión.

—Entonces, ¿a quién buscarás?

—Eres un malvado. Me haces decir lo que no debo.

Aún tenía las copas en las manos y giró su cuerpo para colocarlas en el siento de atrás. Lo hizo lenta, tristemente, como si estuviera abandonando con ellas los sueños de una noche romántica a la luz de la luna.

—No me has contestado —insistí.

—Lo sabes bien, iré en busca de Alberto. Aunque puede que me lleve un chasco y descubra que ni siquiera se acuerda de mí.

Iba a decirle que no era cierto, y que también él lo primero que haría al escuchar las trompetas sería ponerse a buscarla entre la multitud ardiente de los resucitados, pero Eva continuó hablando:

—Ya te he dicho que me enteré de su muerte dos años después. Una amiga del grupo de Beatriz pasó por Bilbao y me llamó. Quedamos y estuvimos hablando de aquel tiempo y de lo que había sido de las otras chicas de la panda. Y le pregunté por vosotros. Me dijo que eras médico y que trabajabas en uno de los equipos punteros en el trasplante de riñón, y luego me contó lo de Alberto. Que había dejado de estudiar y que había terminado trabajando de obrero en una fábrica donde había muerto en un accidente hacía dos años. La noticia me impresionó de tal manera que recuerdo que tuve que ir al baño, donde devolví todo lo que había comido. Fue entonces cuando me di cuenta de que no había dejado de amarle. Es más, que le seguía amando con esa clase de amor salvaje, misterioso e improbable que no ocurre sino una vez.

—¿Te acuerdas de lo que me dijiste de las fotos, que lamentabas que no existiera ninguna donde estuviéramos sólo los tres?

Eva me miró con ojos interesados, esperando que continuara con mi relato.

—Sí la hay, al menos una. Estamos los tres juntos. ¿Quieres verla?

—Claro. ¡No me digas que la has llevado todo este tiempo contigo y que no me las has enseñado!

—Así es.

—No lo entiendo, ¿por qué?

—Supongo que me estaba haciendo ilusiones acerca de que pudiera surgir algo entre nosotros, algo que no tuviera que ver con el pasado.

—Y ha surgido, ¿no es así? —murmuró, poniendo un tono de voz más tierno, al tiempo que tendía la mano y la ponía sobre la mía en el volante.

—No lo que hubiera querido.

La oscuridad de la noche parecía haberse acentuado. El asfalto absorbía la luz de los faros y la visibilidad era muy escasa. Todos los espacios que recorríamos estaban vacíos, como si sólo nosotros permaneciéramos despiertos en aquel lugar del planeta.

Extraje mi cartera, busqué la fotografía y se la tendí casi sin volverme. Apenas se veía en el interior del coche y Eva encendió el mechero para poder mirarla. La llamita temblaba entre sus dedos como un insecto que hubiera atrapado volando.

—¡Qué guapos estamos! —dijo Eva, con una sonrisa triste.

La fotografía estaba tomada en un parque. Eva llevaba un vestido de cuadros, ceñido a la cintura, con un cinturón forrado de la misma tela y un bolso que colgaba del hombro, haciendo juego con su rebeca y sus zapatos de medio tacón. Justo lo que un chico de aquel momento necesitaba para enloquecer de amor. Alberto y yo, a su lado, estábamos muy morenos y parecíamos estar diciendo: «El que se acerque a esta chica lo pagará».

—Me la dio la mujer de Alberto.

Eva se volvió hacia mí esperando que continuara. Sus ojos brillaban intensa y oscuramente.

Habíamos llegado a Alicante. A esas horas la ciudad estaba vacía y sólo de tarde en tarde nos cruzábamos con algún coche o algún transeúnte. Desembocamos en un paseo bordeado de palmeras que nos condujo hasta el mar. Reconocí el Palacio de Congresos, donde esa misma mañana nos habíamos encontrado. Parecían haber pasado varios años desde ese momento. Llevaba la ventanilla abierta y percibí la intensidad yodada del mar, que procedía de las algas y de los moluscos. Las aguas eran negras y las luces del paseo marítimo se reflejaban en su superficie produciendo leves ondulaciones doradas.

Nos detuvimos ante un semáforo. Un grupo de chicos que venía por la acera se puso a gritar y a decirnos cosas. Eran muy jóvenes y parecían pertenecer a un equipo deportivo. Uno de ellos se quedó mirando fijamente a Eva. Había un deseo asesino en sus ojos azules, como si nos echara la culpa de su infelicidad.

Eva apenas reparó en él. No apartaba los ojos de la fotografía. Permanecía silenciosa y abstraída, mientras el grupo se alejaba siniestramente por el paseo.

—¿Qué hacemos? —le pregunté.

Vimos la estación de ferrocarril. No había nadie, pero las luces permanecían encendidas. Estaba en una elevación, como un templo.

—¿Quieres que entremos? —le dije—. Tal vez esté abierto el bar.

Asintió y yo me dirigí al aparcamiento. Había una furgoneta de color gris. ¿Quién sería su dueño? ¿Qué conversaciones y qué historias habría vivido en su interior? Con lo que había sucedido en todos aquellos vehículos aparcados ahora en las calles podía escribirse la historia íntima de la humanidad. Al salir, vi algo que se movía rápidamente. Era un conejo.

—¿Te has fijado? —le pregunté a Eva, señalándole en esa dirección.

—¿En qué?

—En ese jardín. Había un conejo.

—Me tomas el pelo.

—No, te lo juro. Era un conejo, se ha escondido entre los rosales.

Estuvimos buscando el conejo pero no dimos con él. Los rosales estaban llenos de flores blancas y rojas. A aquellas horas, y tal vez por efecto de la luz eléctrica, parecían flotar en al aire dando al lugar una cualidad acuática, de espacio sumergido en el mar.

El bar estaba cerrado y salimos a la zona de los andenes. Las vías se perdían en la distancia como líneas trazadas por un delineante. Había una extraña quietud.

—Ahora que lo pienso —murmuré, fingiendo un entusiasmo que estaba lejos de sentir, pues el lugar me parecía desolado y triste—, tenemos la botella de vino. Espera, voy por ella.

Volví poco después. Llevaba la botella y las copas discretamente disimuladas bajo la chaqueta. Eva se había sentado en uno de los bancos y me esperaba con una sonrisa. La envolvía un aire de exiliada, el aire de una viajera perdida, como si se hallara varada en tierra de nadie, sin pasaporte. Como si intentara descifrar los indicadores del andén. Para hacer lo adecuado.

—Eres un ángel, de verdad —me dijo, al tiempo que me rodeaba el cuello con los brazos y se apretaba con fuerza contra mí.

Fui a besarla, pero ella apartó su boca. Me fijé en que alguien había dejado una lata de cerveza unos metros más allá de nuestro banco. Era un punto de color rojo encendido en la interminable extensión gris del andén.

—Ya he hecho mi buena acción —le dije con una sonrisa, al tiempo que le enseñaba la botella de vino.

Eva se rió, mostrando sus dientes blancos y las encías brillantes de saliva.

—Ah, y según tú, ¿para eso se hacen las buenas acciones?, ¿para obtener algo a cambio?

Esta vez sí se dejó besar. Sus labios estaban ardiendo y el interior de su boca tenía la textura de la miel. No estábamos sobre la ola, sino en su seno, cálido y fluido. Eso era lo que quería. Pero Eva no tardó en separarse de mí. Lo hizo con cuidado, como si temiera ofenderme. Seguía teniendo la fotografía en la mano y, señalándola con un dedo, me dijo:

—Me ibas a contar una historia, ¿no te acuerdas?

—Claro —murmuré.

En gran medida, vivir consistía en contarnos historias que dieran sentido a lo que nos pasaba, y aquella fotografía tenía la suya. Empecé a contarle esa historia. Me remonté al final de aquel verano, y le hablé de la tristeza que nos había embargado tras su marcha, especialmente a Alberto, que durante un largo tiempo apenas salió de casa. Perdió interés por todo, y dejó de ir al gimnasio y al cine. De hecho, su padre llegó a hablar conmigo, porque estaba muy preocupado por su conducta. Apenas comía, no se aseaba y realizaba con descuido sus tareas en la tienda. Una tarde, le convencí de que fuéramos al boxeo. Vimos un par de combates interesantes y se animó. Empezó a hablar sin parar de aquel mundo. Hasta llegó a decirme que le gustaría ser boxeador. No era cierto que el boxeo fuera un deporte cruel. Había reglas, los boxeadores tenían que prepararse sin descanso; exigía rigor, disciplina y pasión. Cuando subías al ring no te esperaba el horror. El horror estaba en la vida. Allí, bajo los focos, sólo había dos hombres que luchaban sin trampas, sirviéndose únicamente de su habilidad y su fuerza. Es más, sin un deseo real de hacerse daño, aunque eso fuera inevitable. Pasamos por delante de las piscinas y, mientras seguíamos hablando, cruzamos uno de los puentes. En aquel tiempo, la ciudad terminaba en el río. En la otra orilla estaba el campo. Allí reinaba el silencio, roto tan sólo por el canto de los grillos y el croar de las ranas. La brisa traía los aromas de las flores, las hierbas y el grano que maduraba en la oscuridad.

—Fue entonces —continué— cuando empezó a hablarme de su amor por ti. Y lo hizo con rabia, como queriendo romper los vínculos que le ataban a ese amor. Sin embargo, nunca mencionó que le hubieras enviado una nota, y es algo que no puedo entender. Luego se inició el curso. Alberto se transformó en un estudiante distraído y nervioso, que empezó a suspender, cosa que nunca le había sucedido. A mitad de curso dejó el colegio para trabajar en la tienda con su padre. Los jesuitas trataron de convencerle de que no lo hiciera, pues creían en su talento, pero él no dio su brazo a torcer. Y dejamos de vernos. Nos encontrábamos de vez en cuando y dábamos un paseo, o le acompañaba al gimnasio, al que él seguía yendo cada día, pues no había abandonado su sueño de hacerse boxeador y hasta llegaría a participar en alguna que otra velada de *amateurs*, pero cada vez teníamos menos cosas que compartir. Hacíamos votos de recuperar los viejos hábitos de nuestra amistad, pero lo cierto era que nuestros encuentros resultaban cada vez más incómodos y espaciados en el tiempo. Al terminar el bachillerato, dejé de verlo. Trasladaron a mi padre al Ministerio de Gobernación y nos mudamos a Madrid. Allí entré en la universidad y mi mundo cambió por completo. Volvíamos de vez en cuando a Valladolid, pero ya con la sensación de estar de paso, como si aquella ciudad, y todos los que habíamos conocido en ella, pertenecieran al remoto e impreciso pasado. Y, cada vez más espaciadas, me llegaban noticias suyas: que su padre había enfermado, que habían cerrado la tienda, y que ahora era él quien se ocupaba de mantener la casa trabajando desde que salía el sol hasta que se ponía. Y una tarde, en una de esas visitas, nos volvimos a encontrar. Llevábamos tres o cuatro años sin vernos y estuvimos juntos varias horas, poniéndonos al día de todo lo que habíamos hecho. Le hablé de mi vida en Madrid, de mis estudios en la Facultad de Medicina y él me contó que había empezado a trabajar en una fábrica de productos químicos. Y enseguida nos pusimos a hablar de los viejos tiempos: de Serafín Parra, el boxeador, y de sus fantasías en Hollywood, y, como es lógico, de aquel verano: el verano en que te habíamos conocido. Entonces se detuvo y me dijo: «¿Sabes una cosa? Creo que fue el la época más feliz de mi vida». Permanecimos un rato en silencio. Había empezado a llover con bastante intensidad, gruesas gotas frías. Una mujer sacó un pañuelo de encaje blanco de su bolso y se cubrió con él, y varios chicos desplegaron un plástico sobre sus cabezas. Una pareja corrió a protegerse de la lluvia, frente a nosotros. Eran mayores, pero se comportaban como una pareja que se hubiera dormido una noche y despertado treinta años después sin percibir los estragos del tiempo. Alberto los estuvo mirando y luego me dijo que se acababa de casar. Que había dejado embarazada a una chica y se había casado con ella, y que el niño nacería ese mismo mes. «No me va mal —me contó—. Es una buena chica y creo que está muy enamorada de mí.» Y, después de una larga pausa, me confesó que sin embargo esto le torturaba, ya que ella nunca sería feliz a su lado porque, a pesar de su empeño, no lograba quererla. En realidad, había descubierto que no podía querer a nadie.

—¿De verdad dijo eso? —me interrumpió Eva.

—Sí, eso dijo. Que le pasaba eso por tu culpa. Que te seguía amando, y que seguías tan viva en él como la tarde en que os habíais besado. Que debías de ser una bruja o algo así, y que le habías dado a tomar un bebedizo cuyo efecto no terminaba nunca.

—Me estás engañando; no puedo creer que te dijera algo así.

—Te lo juro, Eva. No sólo me dijo todo lo que te acabo de contar, sino que lo hizo con las mismas palabras que estoy empleando ahora. Alberto había sido mi mejor amigo, llevábamos años sin vernos y ahora que nos volvíamos a encontrar descubría que nada había cambiado en él y que sus recuerdos vivían en un lugar perdido ajeno al desgaste del tiempo. Es verdad que, a esas alturas de la noche, habíamos bebido una buena porrada de cervezas, pero ninguno de los dos estaba borracho y puedo asegurarte que Alberto era sincero. Salimos del bar y paseamos un rato por las calles. Ya era tarde y Alberto tenía que levantarse temprano para ir a su trabajo. Nos acercamos a la plaza Mayor y nos despedimos en la esquina donde estaba el reloj, ¿te acuerdas? Entonces se volvió hacia mí y me preguntó que si creía posible que el recuerdo de una cría de quince años pudiera tener embrujado a un hombre el resto de su vida.

—¿Y qué le contestaste?

—Que sí, que lo creía posible. Que el amor era así de extraordinario y extraño, y que bajo su dictadura todo era posible. Incluso que una criatura del pleistoceno se enamorara de una joven científica. Nos reímos y, después de darnos un abrazo y hacer votos de volver a vernos, nos despedimos. Es curioso, pero tuve la sensación de que ese nuevo encuentro no se produciría jamás.

Eva se llevó la copa de vino a los labios y bebió. Me escuchaba visiblemente emocionada, como si mis palabras no estuvieran sino confirmando sus más oscuros temores. Continué con mi relato:

—Y, en efecto, así fue. Dos o tres años después conseguí una plaza en uno de los hospitales de Valladolid. Era a comienzos de los años setenta y yo acababa de terminar mi especialidad en urología. No regresé con muchas ganas a la ciudad de mi infancia y mi intención era quedarme el menor tiempo posible, pero, ya lo ves, llevo veinte años allí. Por pura desidia. Tal vez por eso, aunque me preguntaba a menudo por Alberto, no hice nada por localizarle. Luego tuvo lugar aquel accidente en la fábrica en que trabajaba. Varios obreros que limpiaban un tanque fueron encontrados muertos, según parece por la inhalación de un gas tóxico, y la ciudad entera quedó conmocionada. Uno de los fallecidos era Alberto. Un antiguo compañero de colegio me llamó para decírmelo y fuimos al funeral. Había mucha tensión, porque según parece la empresa incumplía todas las normas de seguridad. A la salida de los féretros un grupo de obreros lanzó gritos contra los patronos. La policía hizo acto de presencia. No hubo problemas, pues los agitadores se callaron por respeto a sus compañeros muertos. Luego fuimos al cementerio, que estaba literalmente tomado por la policía. Pasamos a su lado como proscritos. Todavía en la tumba un grupo de obreros y compañeros cantó puño en alto «La Internacional». Allí estaba su mujer, vestida de negro de arriba abajo. Era una mujer joven y agraciada, y su rostro expresaba una sincera tristeza. Fui a darle el pésame y me presenté. Me sorprendió que me reconociera, que supiera mi nombre. «Sé quién eres —me dijo—. Mi marido me hablaba a menudo de ti.» Me sentí avergonzado, pues en todo ese tiempo Alberto había dejado de existir para mí. Luego, cuando ya nos íbamos, aquella mujer me entregó un papel. «Llámame una tarde —murmuró—. Me gustaría preguntarte una cosa.» En el papel estaba escrito su nombre y un número de teléfono. Pero tardé en llamarla. Incluso llegué a olvidarme de su petición. En aquellos momentos todo lo que tenía que ver con Alberto me incomodaba, tal vez porque me sentía culpable de haberlo olvidado. Unas semanas después, sin embargo, al ponerme la chaqueta que había llevado esa tarde, me encontré en su bolsillo con la pequeña nota y llamé a su mujer. Quedamos en su casa. Vivía en uno de esos bloques de viviendas modestas e impersonales de los barrios obreros. Cuando llegué, estaba despidiendo a sus hijas. Tenían ocho y seis años, y cargaban unas grandes carteras. Iban muy guapas y aseadas, aunque sus ropas eran modestas. Estaba claro que no les sobraba el dinero, pero que se las arreglaban para salir adelante. Toda la casa era así. Una de esas casas humildes y limpias que parecen prolongar los sueños serenos de sus habitantes. Me ofreció un café. «¿No te importa que lo tomemos en la cocina?», me preguntó. Negué con la cabeza. Enseguida entendí por qué quería llevarme a la cocina. Era el cuarto más luminoso de la casa. Una de sus paredes era una amplia galería acristalada, llena de plantas. Había caléndulas, azaleas, prímulas, todas esplendorosas, pues estábamos en pleno mes de mayo. «Era Alberto el que las cuidaba —me dijo—. No comprendía cómo la gente podía vivir sin plantas a su alrededor.» El sol entraba por la ventana y el pequeño jardín parecía flotar en el vacío como una de esas barcas llenas de flores en que los pueblos indígenas transportan por los lagos sus figuras sagradas. Al fondo se veían los tejados uniformes de las casas y sus fachadas grises. Sólo aquella pequeña galería parecía dotada de calidez y de vida. «¿Sabes por qué sabía tu nombre?», me preguntó. Habían coincidido conmigo una tarde en el hospital y Alberto le había dicho quién era. Según parece, estaban en el servicio de urgencias y me vieron pasar. Alberto llegó a levantarse para saludarme, pero yo no me di cuenta y me alejé sin mirarlos. Y él le dijo que me conocía. Alberto estaba fatal. Tenía un cólico de riñón y el dolor le impedía mantenerse en pie, y ella estaba indignada porque nadie les hacía caso. De forma que se lanzó en mi persecución. Me vio al final del pasillo, pero cuando ya estaba muy cerca se abrieron las puertas del ascensor y desaparecí arrebatado por aquel remolino de gente en dirección a alguna de las plantas del hospital. Y entonces ella se dio cuenta de que había algo en mí que le resultaba familiar, como si me hubiera visto en alguna otra parte, aunque en esos instantes no se le ocurriera dónde. Regresó a la sala de espera dispuesta a enterarse de mi nombre para llamarme, pero Alberto no se lo dio. Decía que yo era una persona muy ocupada y que no me quería dar la lata con una tontería como aquélla. Luego, al día siguiente, cuando ya habían vuelto a casa, estuvieron hablando de mí. Alberto le contó que durante muchos años yo había sido su mejor amigo, pero que la vida nos había llevado por caminos diferentes y que, a pesar de estar en la misma ciudad, llevábamos meses sin vernos. Y fue en ese instante cuando ella se dio cuenta de por qué mi rostro le había resultado familiar. No le tuve que preguntar a qué se refería, porque enseguida metió la mano en el mandil y extrajo una fotografía, que colocó frente a mí sobre la mesa. Supongo que sabes cuál era...

—Ésta, ¿verdad? —murmuró Eva, mostrándome la fotografía en la que se nos veía a los tres a finales de aquel verano.

—Entonces supe que era de esa fotografía de la que quería hablar. O mejor dicho, que lo que quería era preguntarme por la chica que estaba entre los dos.

—No te entiendo.

—Que el verdadero motivo de aquella cita eras tú.

—¿Yo...?

—Quería saber quién eras.

—No te entiendo…

—Tenía celos de ti.

—¡Pero eso es una tontería! La más grande que he escuchado en mucho tiempo. Todo aquello había sucedido hacía una eternidad.

La expresión de su rostro desmentía lo que acababa de decir.

—Espera —le dije—, aún hay más cosas. No se trata de que estuviera sufriendo un delirio de celos retrospectivo, sino que sus sospechas estaban fundadas.

Eva permaneció en silencio.

—Y entonces —proseguí— me habló de la tarde en que había visto por primera vez esta fotografía. Alberto la llevaba en su cartera y ella la descubrió al ir a coger dinero. Nunca se la había enseñado y le bastó con mirarla un momento para darse cuenta de que la razón sólo podía ser la chica que estaba a su lado. Y lo más curioso —dije con malicia, buscando los ojos de Eva— es que reaccionó guardando silencio. Vete a saber por qué. Tal vez por el temor a descubrir que lo que sospechaba desde hacía tiempo era verdad.

—¿A descubrir qué?

—Que Alberto estaba enamorado de otra mujer, que lo había estado siempre, desde antes de que ella le conociera. Y entonces toda su vida en común desfiló en su mente como una película. Vio los días de su noviazgo, y la tendencia de Alberto a aislarse y a quedarse callado, cuando ella le hablaba de amor; y la noche de bodas, que acabó en una impresionante borrachera, y vio su cansancio, la apatía que se instaló en él casi desde el primer momento, y cómo, a pesar de todos sus esfuerzos por parecer feliz, sobre todo ante las niñas, su conducta siempre tenía un trasfondo de amargura, como si en ningún lado se sintiera a gusto, y todo le hiciera pensar que no existía un lugar para él en este mundo. Y ella supo que nunca la había amado ni llegaría a amarla, al menos con ese amor que habría deseado, que desea cualquier mujer, porque seguía obsesionado con aquella niña de la fotografía. Y a partir de ese instante empezó a espiarlo. No lo había hecho nunca, pero el dolor y los celos no la dejaban vivir, y cada poco se veía forzada a tomar su cartera para ver si la fotografía continuaba en ella. Y una noche le descubrió mirándola. Alberto bebía bastante, y a menudo llegaba tarde a casa. Solía tomarse una última cerveza en la cocina, y ella, esa noche, al ver que tardaba en acostarse, se levantó preocupada y lo vio sentado a la mesa de la cocina, mirando aquella fotografía. Y vio que sus ojos estaban llenos de lágrimas. Tampoco entonces se atrevió a preguntarle nada, y prefirió retirarse en silencio. En realidad, sintió pena al verle así, prisionero de aquellos ensueños adolescentes, como si nunca hubiera terminado de crecer. Pena de no poder llevar un poco de paz a su corazón. Pues, según ella, ése era el problema de Alberto, que no se dejaba ayudar en nada.

—Y tú, ¿qué le dijiste? —murmuró Eva.

—Puedes imaginártelo. Traté de quitarle importancia. Le dije que habías venido de Bilbao, y que, en efecto, aquel verano los dos habíamos estado coladitos por ti, pero que enseguida te habías ido y, como suele suceder en esos casos, todo había quedado en agua de borrajas. Pero ella no me creyó. Estaba convencida de que le ocultaba algo.

—¿Lo hacías?

—La verdad es que preferí callarme ciertas cosas, por temor a hacerle más daño. Es más, me bastó que su mujer me contara que Alberto había llevado la fotografía en su cartera hasta el final de sus días para darme cuenta de que su amor por ti había ido mucho más allá de todo lo que me había podido imaginar. Que había sido como una terrible enfermedad, una de esas enfermedades del alma que condicionan para siempre la vida de quien las padece. Recuerdo que se hizo entonces un gran silencio entre nosotros y que yo, cada vez más incómodo por la situación, le dije que me tenía que ir. Me levanté y, cuando fui a devolverle la fotografía, ella me pidió que me la quedara. Luego me preguntó si pensaba que Alberto te había seguido viendo. Le contesté que no, que ninguno de los dos lo habíamos hecho y que desde aquel verano no habíamos vuelto a saber nada de ti. Y entonces me dijo que si alguna vez te veía te diera la fotografía y que te contara que Alberto la había conservado durante toda su vida. «Supongo que le gustará saberlo.» Y un poco después, cuando ya estábamos en la puerta, añadió: «A mí, al menos, me habría gustado. Las mujeres somos unas románticas incorregibles. Y así nos va…».

Eva me escuchaba sin parpadear. Estaba conmovida por el relato y mientras la contemplaba me acordé de la mujer de Alberto, despidiéndome en la puerta. Nunca olvidaré la serena expresión de su rostro. Era una expresión de derrota y de orgullo a la vez, como si, a pesar de su fracaso, no pudiera dejar de pensar que en aquella lucha por preservar el amor de su marido y de sus hijas había estado lo mejor de su vida. ¿Era así? ¿Estaba en ese amor que buscábamos sin descanso lo mejor de nosotros?

—Creo que la mujer de Alberto te habría gustado —le dije a Eva, al tiempo que tendía mi mano para acariciarle la cara—. Pertenecía a esa categoría que tanto te conmueve.

—¿Qué categoría?

—La de los humildes.

Y señalándole la fotografía, que aún conservaba en la mano, añadí:

—Así que ya lo sabes, he venido a cumplir un encargo.

—¿Qué encargo? —me preguntó casi sin aliento. Me decía sí y no a la vez, que continuara hablando y a la vez que dejara de hacerlo.

—El encargo de decirte que jamás te olvidó, que fuiste el verdadero amor de su vida. ¿No es eso lo que querías oír?

—Por favor, no digas eso…

Tenía los ojos llenos de lágrimas y se abrazó a mí tratando de ocultar su confusión. Sí, tenía razón la mujer de Alberto: los amantes eran fáciles de comprender pero difíciles de proteger, sobre todo de sí mismos. Quien acumulaba recuerdos acumulaba dolor.

De pronto su cuerpo se contrajo con violencia.

—Espera —me dijo atropelladamente al oído—, no te muevas.

Me pidió que volviera la cabeza con cuidado.

—Está ahí —murmuró.

—¿Quién? —Miraba a un lado y a otro pero no veía nada.

—El conejo, ¿no lo ves...? En el andén...

Y, en efecto, allí, en el andén, a unos quince metros de nuestro banco, estaba el conejo que había visto minutos antes en el jardín. Parecía desorientado. Dio unos pasos vacilantes y luego, volviendo su cabecita hacia nosotros, se quedó mirándonos como si nos estuviera pidiendo ayuda. «No sé dónde estoy», parecía decirnos. Eva me había cogido de la mano y, sin darse cuenta, me estaba clavando las uñas.

—No podemos dejarlo aquí —murmuró, llena de nerviosismo—. Tenemos que hacer algo, lo atropellará un tren.

Su reacción me conmovió. Dos lágrimas brotaron de sus ojos y corrieron por sus mejillas, como si la imagen de aquel conejo perdido fuera la de su propio desamparo en la noche. La luz amarilla de las farolas daba a las cosas una extraña tonalidad dorada. El andén entero parecía transfigurado por esa luz. Eva se volvió hacia mí y me miró con una intensa expresión de súplica. Nadie me había mirado nunca de esa forma, ni lo volvería a hacer nunca. Su súplica tenía que ver con aquel animal. «Si le salvas —parecía decirme— también me salvarás a mí.»

Todo lo que pasó a partir de ese momento es tan extraño que todavía ahora, muchos años después, cuando pienso en ello, no puedo dejar de preguntarme si sucedió realmente. El caso es que me levanté del banco y me dirigí hacia el conejo. Me pareció extraño que no huyera, que me dejara acercarme y cogerlo. Pero fue esto lo que pasó. Sentí su cuerpecito tenso, y cómo su corazón latía con fuerza en mis manos. Me volví hacia Eva. Se había levantado del banco y cuando le entregué el conejo, lo estrechó contra su pecho. Me parecieron los personajes de una hermosa fábula. Una de esas fábulas que tanto me gustaban de niño en que los animales tienen alma y la felicidad es posible.

—Oh, mira —murmuró Eva, al tiempo que se refugiaba en mis brazos—, está temblando.

También ella lo hacía. Yo la abrazaba estrechamente y Eva abrazaba al conejo. Cada uno contenía al otro en sus brazos, como si fuera el vaso minúsculo donde reposaba una vida preciosa y desconocida.

—Y ahora, ¿qué hacemos? —le pregunté.

—Salir de aquí —me dijo—. Tenemos que llevarlo al campo, a un lugar donde pueda ser libre.

Abandonamos la estación y nos montamos en el coche. Recorrimos la larga avenida con palmeras y flores, hasta abandonar la ciudad. A nuestra llegada, había visto un extenso pinar donde podríamos soltar al conejo. Eva lo llevaba sobre las piernas y lo acariciaba con ternura. Vi las primeras copas de los pinos que enseguida se multiplicaron a un lado y a otro, hasta formar a nuestro alrededor una masa temblorosa. Tomé uno de los caminos. No estaba asfaltado y, bajo la luz de los faros, su arena le hacía parecer un río blanco. Aparqué en un pequeño claro, junto a unas rocas que descendían hasta el agua. No había nada de brisa y las olas se deslizaban suavemente, como por un piso encerado.

Bajamos del coche y nos internamos entre los árboles. Se oía a ratos el batir de las alas de algún pájaro. Llegamos a una pequeña depresión del terreno. Eva abrió la boca como si fuera a decir algo, pero permaneció silenciosa.

—¿Ahí? —murmuré.

Me miró como preguntándome si estaba seguro y tendí las manos para que me entregara el conejo. Sentí su delicado esqueleto bajo la piel, como una pequeña jaula. La jaula donde latía atropelladamente su corazón. Lo puse en el suelo y regresé junto a Eva. El conejo miró a un lado y a otro y desapareció en la oscuridad.

Esperamos unos minutos y exploramos la zona por donde se había ido, pero no dimos con él.

—Parece que le ha gustado, ¿no crees?

Eva asintió con la cabeza. Luego se volvió hacia mí.

—No sabía que tuvieras poderes —murmuró con una sonrisa.

Sus ojos estaban llenos de lágrimas.

Volví a ver la escena de la estación. El conejo en el andén y cómo me había dejado acercarme y tomarlo en mis brazos.

—Era el miedo —acerté a murmurar—. Estaba tan asustado que no se podía mover.

—No, no es eso —insistió Eva, con ternura—. Todo el que está a tu lado tiene que obedecerte. Ya lo ves, también me pasa a mí…

Se había acercado hasta estar casi pegada a mí. Sentía el calor de su cuerpo, que se hizo más intenso cuando echó los brazos alrededor de mi cuello para abrazarme. Era el calor de los fogones, el calor de los hornos cuando abrías sus puertas.

Iba a preguntarle por qué hacía eso, qué quería de mí.

Pero me hizo agachar la cabeza, ofreciéndome su boca entreabierta para que la besara. Una extraña metamorfosis se apoderó de su rostro cuando lo hice, la metamorfosis que siempre se produce en ese misterioso instante: una especie de apaciguamiento, una vuelta a la inocencia.

—¿Vamos a mi hotel? —me preguntó. Parecía una niña a la que la vida aún no hubiera dañado.

Estaba asida a mí con tal fuerza que apenas podía moverme. Me fijé en sus pupilas claras como un lago y en aquellos delgados labios que temblaban con timidez. Debí decirle que no, que lo más sensato era que dejáramos las cosas como estaban, pero hice justo lo contrario. Supongo que está en nuestra naturaleza actuar así. Saber que vamos al desastre y no poder hacer nada para evitarlo.

El resto de esa noche es una serie de visiones que se suceden con bruscas transiciones instantáneas, como las escenas de las películas. Había un grupo discutiendo a la entrada del hotel. Parecían alemanes y al tiempo que discutían se empujaban y reían. Eran muy ruidosos y era difícil saber si estaban a punto de pegarse o se trataba de un grupo de amigos disfrutando de una noche de juerga. El hotel tenía un amplio vestíbulo acristalado, lleno de plantas. Las velitas que había sobre las mesas parpadeaban solitarias como almas que hubieran perdido su destino. Vimos salir del ascensor a un anciano. Iba impecablemente vestido y sus ojos azules brillaban con la transparencia del agua. Eva y yo tomamos el ascensor que acababa de dejar. El ascensor olía a jabón y a agua de colonia.

—Qué anciano más limpio —murmuró Eva, al tiempo que cerraba los ojos y me abrazaba. Nos volvimos a besar. Estábamos rodeados de espejos y nuestros cuerpos se multiplicaron en todas las direcciones. Me pareció que no estaba bien multiplicar las imágenes de algo que estaba condenado a morir.

—De esto te tendrás que confesar —le dije casi sin separar mis labios de los suyos.

—Sí, es cierto.

Sentía sus blandos pechos apoyados contra el mío. Su redondez era la tibia redondez de la vida.

—¿Y qué crees que dirá el cura?

—No tiene que decir nada; sólo absolverme.

A esas alturas yo tenía una erección impresionante. Eva se había dado cuenta y apretaba su vientre y su pubis contra mí.

El ascensor llegó al piso de Eva y salimos sin dejar de abrazarnos. Su habitación estaba al final del pasillo y avanzamos haciendo eses como dos borrachos. Cada poco nos deteníamos y nos volvíamos a besar. Los besos eran cada vez más largos y acuciantes, como si cada uno quisiera retener al otro en el interior de su boca. Eva suspiraba mientras me lamía los labios, la lengua y las encías. Lo hacía lentamente, como si fuera la primera vez que hacía algo así. Nos detuvimos ante la puerta de su cuarto y pedí la tarjeta para abrir.

—Espera —me dijo.

Y deslizando su mano por mi pecho y mi cintura se puso a acariciarme el pene. Primero por encima del pantalón, pero enseguida bajándome la cremallera. Nunca había sentido un deseo sexual tan intenso, nunca el tamaño y la dureza de mi pene habían sido mayores. Cuando quise darme cuenta, Eva lo había sacado del pantalón y estaba de rodillas ante mí. Se puso a besarlo y a lamerlo. Sentía la suavidad de su boca y el cosquilleo de su pelo. Se oyó el ruido del ascensor.

—Ten cuidado —le dije—, nos van a ver.

Pero Eva no dejaba de acariciarme ni de darme besos. De hecho, a pesar de que la había hecho incorporarse, se negaba a soltar mi pene. No parecía importarle que nos pudieran sorprender así, que incluso pudiera ser uno de sus compañeros de trabajo… Era como si, al contrario que yo, se sintiera orgullosa de sus propios deseos. A mí me habían enseñado a avergonzarme de ellos.

—No te preocupes —me dijo al oído—, van a otro piso.

El ascensor, en efecto, pasó de largo y lo sentimos seguir su marcha hacia los pisos superiores.

—Esta noche no puedes escapar de mí —murmuró.

Logré abrir la puerta y entramos abrazados en su habitación. Tenía un amplio ventanal, y estaba bañada por la luz de la luna. Alguien debía de estar duchándose a esas horas, pues a través de la pared se oía el ruido del agua. Los suspiros de Eva se mezclaban con ese ruido, que recordaba el de la lluvia.

—Espera —murmuró, separándose de mí—, ahora vuelvo.

Eva se dirigió al armario, de donde cogió algo, y luego al baño. Antes de entrar se volvió y me señaló el pequeño mueble bar.

—Me gustaría una copa. Un whisky con hielo, por favor.

La puerta se cerró a sus espaldas. Cuando encendió la luz se dibujó una línea amarilla en el bajo de la puerta, como si allí dentro su cuerpo se hubiera echado súbitamente a arder. Me dirigí al mueble bar y preparé dos whiskies, que llevé a una mesa baja que había frente a la ventana, junto a un pequeño sofá. Me senté en ese sofá. No podía apartar los ojos de la línea de luz que se dibujaba temblorosa en el suelo.

Eva tardó en aparecer. Se había cambiado de ropa y ahora llevaba una especie de combinación azul que se ajustaba a su cuerpo como si estuviera hecha para la oscuridad del cuarto.

Tomó una vela, que puso sobre un plato. Luego encendió un cigarrillo con su llama. Reinaba un profundo silencio. La llama de la vela proyectaba sombras cambiantes sobre la pared blanca. Recordaban sombras de pájaros. Si cerrabas los ojos te parecía oír el sonido de sus alas por encima de nuestras cabezas.

Eva se sentó enfrente de mí, sobre la mesa.

—Tu whisky —le dije.

Cogió el vaso con una sonrisa y lo vació de un solo trago. Sus labios temblaban como si temiera abrir la boca y ponerse a hablar. Luego se arrodilló ante mí y empezó a desnudarme. Primero la camisa y a continuación los pantalones y los calzoncillos. Mi pene continuaba vigorosamente erecto y ella volvió a besarlo y lamerlo. La luz de la vela se reflejaba en su rostro y su cuerpo creando valles y colinas temblorosas.

Luego incorporó levemente sus caderas y se quitó las bragas, que retuvo en sus manos sin dejar de mirarme. Eran muy pequeñas, y apenas abultaban lo que esos leves pañuelos que los magos utilizan en sus trucos. Parecía que de un momento a otro las iba a hacer desaparecer ante mí.

—Cierra los ojos —me dijo.

Cuando volví a abrirlos estaba completamente desnuda y se había sentado a horcajadas sobre mi vientre. Sus piernas y brazos me rodeaban como las ramas de un árbol. El árbol del bien y del mal. Estaba muy húmeda y tomando mi pene lo dirigió a su vagina. No llegó a introducírselo. Cuando parecía que por fin iba a hacerlo, lo retiraba. Así una y otra vez, como cuando un animal juega con otro más pequeño. Por fin dejó que mi pene entrara por completo. El interior de su vagina estaba muy caliente y estuve a punto de eyacular, aunque logré contenerme.

Eva se puso a gemir. Se movía girando levemente las caderas y cada poco buscaba mis labios, que lamía y mordía llena de excitación. Era ella la que llevaba la iniciativa, aunque muy pronto empecé a imitarla, acompasando mis movimientos a los suyos. Parecíamos dos bailarines, dos patinadores deslizándose cada vez más deprisa. Al cabo de un rato la tomé en mis brazos hasta situarla debajo de mí, y empecé a moverme en su interior imponiendo mi ritmo. Estuve así mucho tiempo y luego eyaculé. Ni siquiera había tomado precauciones; pensaba que Eva, como mujer casada, utilizaría anticonceptivos o cualquier otro sistema de prevención. Se lo pregunté y me dijo que no. Aunque no tenía que preocuparme porque acababa de tener la regla.

—De todas formas —añadió, con una sonrisa irónica— eres un poco imprudente. ¿No te parece?

Tenía razón, y mi conducta era difícil de justificar. Estábamos incómodos en el sofá y nos levantamos para ir a la cama. Eva retiró la colcha y las mantas y nos acostamos desnudos sobre las sábanas. Bañado por la suave luz de la luna, su cuerpo tenía el brillo de la carne recién nacida y casi despertaba compasión. Esa luz tan blanca le daba una cualidad inasible, como si fuera la página de un libro lleno de palabras que sin embargo yo no sabía leer. Pensé en aquellas sirenas que atraían a los marineros hacia los acantilados. Me pareció que también Eva estaba cantando, que aquellas palabras invisibles eran su canto. Un canto que iba más allá del ser humano, que tenía que ver con algo que no cambia. Y que yo no podría escapar de él, como le había pasado a Alberto.

Eva se sentó en la cama y estuvo buscando sus pitillos en la mesilla. Al encender la cerilla su cuerpo se iluminó brevemente. No aparentaba la edad que tenía. Era como si estuviéramos en un lugar en el que el tiempo no existía. Experimenté una nueva erección y el deseo de volver a entrar en su cuerpo. Era extraño que ese deseo no se apagara nunca, que los hombres y las mujeres no pudiéramos dejar de pensar en las mil maneras de llegar a aquello y repetirlo una y otra vez. Me pareció que no queríamos madurar, y que ésa era la razón por la que seguíamos empeñándonos en algo tan pueril. También la razón por la que nos enamorábamos, discutíamos y llorábamos. Nadie quería hacerse mayor. Queríamos compartir la misma sangre, sentir que nuestros sistemas nerviosos permanecían unidos y que siempre era posible encontrar maneras imprevistas y nuevas de volver a juntar aquellos fragmentos que componían el mundo.

Eva reparó en mi erección y con una de sus manos me tomó el pene y se puso a acariciarlo. Luego se inclinó sobre mí y me besó suavemente en los labios.

—Esta noche —me dijo con una sonrisa, mientras presionaba levemente mi pene— nadie puede dormir.

Al momento volvió a ponerse sobre mí y, con esa habilidad que siempre me ha sorprendido en todas las mujeres con las que he estado, volvió a introducir mi pene en su vagina. Enseguida empezó a agitarse y a gemir. Lo hacía lentamente, dando a los movimientos de su pubis un sentido circular, al tiempo que presionaba sobre mi pene con los músculos de su vagina. La combinación resultaba casi irresistible.

—¿Quién te ha enseñado a moverte así? —logré preguntar; casi no me salía la voz—. Fueron los gemelos, ¿verdad?

Eva se detuvo un momento y abrió los ojos, asombrada.

—¿Cómo?

—Los gemelos de Bilbao, los que conociste en aquella verbena.

Eva sonrió, mientras volvía a su labor concentrada y lentísima. Parecía dispuesta a hacer durar aquello toda la noche.

—Sí, es cierto. Ellos me enseñaron todo lo que sé.

Se había tumbado sobre mí y, al tiempo que hablaba, me lamía los ojos y los labios.

—¿Sabes una cosa? —continuó—. Aquél fue el único pecado que no he confesado jamás.

Volvió a besarme, esta vez profundamente, haciendo que su lengua y la mía se confundieran.

—Debiste hacerlo —acerté a murmurar.

—No. Eran dos ángeles. Y la misión de los ángeles es recordar a los hombres que hubo una vida anterior al pecado.

—Suena a herejía.

—No, no es verdad. Dios ha querido que en cada uno de nosotros perviva un pedazo de paraíso para que no nos olvidemos de Él.

Y después de pasar las yemas de sus dedos por mis labios, añadió:

—Es lo único que las mujeres esperamos de vosotros: que nos ayudéis a encontrar dónde está.

Eva se había incorporado y permanecía ahora sentada sobre mi vientre, con las piernas flexionadas. De pronto se puso a hablar en inglés. Parecía estar recitando un poema. Reconocí algunas palabras, pero no pude entender su sentido.

—¿Sabes qué es? —me preguntó.

—No —le dije.

—Es la canción que aquella señora enferma cantaba al monstruo en la película de la laguna negra.

—La doctora Humboldt...

—Sí, es verdad, ¡qué buena memoria tienes...! La canción que la doctora Humboldt cantaba, acompañándose de su piano. Entonces el agua de los canales empezaba a agitarse y la criatura asomaba la cabeza y escuchaba.

El lugar que habitaba aquella criatura era oscuro y denso como la sangre. De él no se sacaban conocimientos ni palabras, sino fuerza y vida.

—¿Sabes inglés? —me preguntó Eva.

Negué con la cabeza.

—El amor es un niño tímido al que le da miedo la severidad, eso dice la canción.

En su rostro parecía alentar un anhelo adolescente que no había sido colmado ni sería colmado nunca.

—¿A que es bonito? El amor es como un niño. Si se despierta en plena noche tienes que acudir a su encuentro y cobijarle en tus brazos sin importarte la hora que sea.

Y después de inclinarse sobre mí y besarme suavemente en los labios añadió:

—Fue Alberto quien me dijo qué significaba.

Parecía una chica de dieciocho años contemplando extasiada el ramo de flores que le acaban de enviar. Volvió a recitarme aquel poema, esta vez en castellano, para que lo pudiera entender:

—¿Sabes qué pienso? —añadió después de un momento—: Que se puede vivir de recuerdos.

¿Era verdad esto? ¿Podía el recuerdo sustituir a la vida? Yo también cerré los ojos, y mientras Eva se movía sobre mí, volvieron a aparecer en mi mente las imágenes de aquel verano. Oía voces que venían del río. Eva, Alberto y yo íbamos a ver al Catarro para decirle algo de parte de Nacho Castro. Hacía mucho calor y las barcas estaban atracadas en la pequeña dársena. No podíamos mirar el agua porque el sol se reflejaba en su superficie y nos llegaba a cegar. El Catarro salió de la caseta y estuvimos hablando con él. Luego nos dijo que podíamos coger una de las barcas, que a nosotros no nos cobraba. Nos montamos y empezamos a remar corriente abajo. Alberto no paraba de hablar y Eva lo escuchaba extasiada. Hablaba de aquel monstruo y de cómo seguía a la enfermera bajo el agua, pues no se cansaba de mirarle las piernas.

Eva se había tumbado hasta juntar su pecho contra el mío y yo la abrazaba con fuerza. Entonces, sin darse cuenta, pronunció el nombre de Alberto. Sus gemidos parecían provenir de un lugar más profundo que aquel de donde procedía el placer o el dolor. Un lugar antiguo como el mundo, oscuro como la vida. La hice girar hasta situarla debajo de mí. Parecíamos animados por una misma e inagotable fuerza, una fuerza que no era diáfana y delgada como el agua, sino oscura y espesa como la sangre. Aquello parecía no ir a terminar nunca y Eva volvió a repetir varias veces el nombre de Alberto. Luego volví a eyacular y nos quedamos inmóviles. Yo encima de ella, con mi pene en el interior de su cuerpo. Me hubiera gustado quedarme así para siempre, pero Eva me pidió que me retirara.

—Me ahogas —murmuró dulcemente.

—Eres mi prisionera —le dije—, no te voy a dejar escapar.

Pero al momento me había separado de ella. Eva se levantó con la ligereza de un pájaro para dirigirse al baño. Aproveché su ausencia para acercarme al mueble bar y servirme otro whisky. La vela continuaba encendida y su parpadeo creaba sombras líquidas sobre la pared, como si aquel río del recuerdo atravesara la habitación. Pero ahora el río estaba inmóvil, y en la barca no había nadie.

Cuando regresó, Eva se había puesto su bata azul. También

aquella tela parecía hecha de la misma sustancia que la noche. Se sentó en la cama, cruzando las piernas. Su aspecto infantil había desaparecido y uno nuevo y más severo ocupaba su lugar. Sin embargo, toda la luz que había en el cuarto seguía viniendo de ella.

Bebió un trago de mi whisky y encendió un pitillo. Luego me acarició con ternura.

—Lo siento —me dijo—. No debe de ser muy agradable que la mujer que tienes en los brazos pronuncie el nombre de otro hombre mientras le haces el amor.

La miré a los ojos. Parecían dos lagunas de aguas inmóviles situadas en lo profundo de un bosque. Un bosque al que no llegaba nadie y al que sólo pudieras acceder si era ella quien te llevaba. Se puso a hablar de nuevo en inglés, como si fuera la lengua que se hablara en ese lugar remoto.

—Eva, ¿recuerdas? —le recriminé—, no entiendo el inglés.

—No hace falta entender —murmuró, con una sonrisa triste—, es la lengua del amor.

—¿Qué quieres decir?

Eva empezó a hablar. Me contó que esa mañana, cuando nos habíamos visto en el congreso, había experimentado una gran conmoción, lo que le había ocasionado serios problemas a la hora de presentar la ponencia, pues apenas se podía concentrar en ella. Se había pasado la tarde muy nerviosa, sin poder hacer nada, sólo esperando que llegara la hora de nuestra cita. Todo lo que habíamos vivido juntos en aquel verano había pasado por sus ojos como las escenas de una película que hubiera visto mil veces pero de cuyo final se hubiera olvidado misteriosamente. Luego, a lo largo de la noche, esa sensación no había hecho sino acentuarse más y más. Sí, eso me dijo, que había sido como volver a un lugar que siempre había creído sólo suyo y descubrir que también Alberto y yo habíamos seguido acudiendo a él durante todo ese tiempo. Es más, que los tres lo habíamos hecho por la misma y misteriosa razón. Y entonces pasó lo del conejo. No le era fácil explicar lo que había supuesto para ella que yo me hubiera acercado a cogerlo, que lo hubiera querido proteger. Era como si aquel pobre animal fuera un fragmento de ese mundo perdido. Como si el pasado fuera un bosque mágico y nosotros fuéramos los encargados de velar por él.

—Sí —continuó Eva—, por eso llegaron a mis labios aquellas palabras en inglés. La lengua con que vuestro amigo el boxeador nos hablaba de Hollywood y de su vida con aquella actriz. Y por eso no hace falta entenderla, porque es la lengua del amor. La lengua que se habla en ese bosque al que no hemos dejado de pertenecer.

—Espera, espera —le dije—. Vas demasiado deprisa.

—Pero si está más claro que el agua, ¿de verdad no lo entiendes? Eran aquellos días felices, cuando cruzábamos el río, con el viento y la luz del sol… ¿recuerdas? El olor, el color, ver los campos de espigas y los cerros lejanos. Cuanto más contenta me sentía más hermoso lo veía todo. Todas las cosas me llamaban: «¡Eva, ven!». Pero yo no quería ir, todavía no. Me sentía como uno de esos pájaros que por alguna extraña razón se apartan un momento de sus compañeros y se quedan quietos, mirándoles desde las ramas. Eso me pasaba, que más que volar yo misma lo que me gustaba era ver cómo lo hacíais vosotros. Yo era una de las vírgenes prudentes de la parábola evangélica, y tenía que evitar que gastáramos todo el aceite de nuestras lámparas. Alguien debe ocuparse de eso, ¿no te parece? Eso mismo sentía al ver a Alberto en la tienda de su padre. A veces iba allí con Paz, con la excusa de comprar cualquier tontería y, mientras nos despachaba, yo me quedaba mirándole desde una esquina del mostrador. Me encantaba verle con su guardapolvo gris, moviéndose entre los sacos de harina, de azúcar o de legumbres. Me recordaba a uno de esos judíos que querían sacar vino de las paredes o crear gallinas y patos combinando las letras del nombre de Dios. Eso me parecía, que en aquellos saquitos cuyo contenido administraba tan sabiamente se guardaba el secreto de nuestra felicidad en la tierra: los garbanzos, que daban fuerza y tenacidad a los hombres; las lentejas, que los volvían astutos; el arroz, que daba a la piel de las novias la suavidad del agua; la harina, que aumentaba su alegría; el azafrán, que las volvía atrevidas en el amor. Y luego, luego… estaba el inglés. Cuando nos quedábamos solos, era yo misma quien le pedía a Alberto que me hablara en aquella lengua. Y era tan tonta que no me importaba no entender ni una sola palabra. No sólo eso, sino que si me gustaba era precisamente porque no llegaba a entenderla, y así me parecía que podían decirse con ella cosas que con la nuestra no sabíamos o no nos atrevíamos a expresar. Que era una lengua con la que podíamos ser absolutamente libres.

Iba a decirle que nada de eso existía, y que Serafín y Alberto no hacían sino fingir estar hablando una lengua de la que apenas conocían un puñado de palabras, pero preferí callarme.

—Una lengua —dijo Eva— que nos permite jugar con las cosas y expresar lo que sentimos de verdad; una lengua arrebatada a los sueños, que no hace falta entender porque contiene nuestro ser entero, ¿no te parece que así debería ser la lengua del amor?

Guardó silencio por un instante y luego, mirándome, continuó:

—¿Sabes quiénes son los judíos jasidim? Fue un movimiento religioso que floreció en Europa oriental durante el siglo dieciocho y que sigue perviviendo hoy. Defendían al carácter sagrado de la alegría y la unión de lo natural y lo divino. Pues bien, uno de sus maestros solía contar la historia de la torre de Babel de una forma algo distinta a como la conocemos nosotros. Según él, antes de la construcción de la torre todos los pueblos tenían en común la lengua santa, pero cada uno de ellos poseía además su propio idioma. Los hombres usaban estos lenguajes particulares para comunicarse entre sí, mientras que la lengua santa la reservaban para hablar con Dios. Y lo que hizo Dios al castigarlos fue privarlos de la lengua que les permitía relacionarse directamente con él. Pues bien, eso me parecía a mí que era aquella lengua en que hablaba Alberto, como esa lengua olvidada que los hombres utilizaban para hablar con Dios. Y que era a través del amor como volvía a escucharse en el mundo.

—Eres una chica muy precoz.

Eva se rió.

—Bueno, no es que entonces pensara eso; ha sido después, al leer esa historia, cuando me he dado cuenta de que lo que me pasaba podía explicarse así.

—Eva, tú sabes que no existe ese Dios del que hablas ni existe una lengua que nos pueda poner en contacto con él. Tampoco existe el amor, al menos como tú quieres que sea: una experiencia que nos pueda salvar. No hacemos sino engañarnos a nosotros mismos. El mismo Alberto te mintió, aunque, como se dice en esa canción que tanto te gusta, sólo lo hiciera para protegerse de la severidad del mundo.

—¿Qué quieres decir?

—Que no sabía ni una sola palabra de inglés.

Eva me miró sorprendida, y yo empecé a contarle cómo Alberto había descubierto que la lengua en que se expresaba Serafín Parra no era inglés, sino una jerga inventada que imitaba la fonética inglesa, y cómo él mismo había empezado a contestarle y a tener con él largas conversaciones en las que, como es lógico, no se decían absolutamente nada. Todo había sido un juego perfectamente inocente hasta que ella había aparecido y una tarde, tal vez de una forma casual, pero con el deseo de impresionarla, le había hecho creer que Serafín Parra y él hablaban de verdad esa lengua. Se convirtió en un maestro de la simulación, e incluso cuando había empezado a traducir aquellas supuestas conversaciones no hacía sino inventárselo todo, hasta el punto de que no era posible saber qué cosas procedían de Serafín y cuáles eran de su propia cosecha.

—Alberto —continué— no se sentía seguro con vosotras. Tus amigas pertenecían a las familias más distinguidas de la ciudad, y el padre de Alberto sólo era un pobre tendero. Lo primero que pensó cuando se enamoró de ti es que nunca le aceptarías, pues pertenecías a una clase que no era la suya, la misma de todos aquellos que le desdeñaban. Supongo que eso le hizo fingir que hablaba perfectamente otro idioma. Era una forma de demostrarte que podías confiar en él, que los hijos de los pobres también podían ser inteligentes y tener un futuro que no fuera sólo el de despachar lentejas y garbanzos. No fue algo premeditado. Serafín le brindó la ocasión y él entró en el juego porque tenía miedo de que pudieras rechazarle. Pero no sabía ni una sola palabra de inglés, como le pasaba al pobre Serafín Parra, que había estado dos años enteros en Estados Unidos y apenas había aprendido a decir otra cosa que *my darling*.

—No es posible, no me lo puedo creer. Entonces…

Me fijé en que estaba pálida como la cera. Se había puesto de rodillas en la cama y sus brazos descansaban inertes a lo largo de los costados, como si hubiera perdido el control de sus movimientos.

—Entonces, ¿qué? —le pregunté, tratando de que completara su frase.

—Oh, Dios mío, Dios mío… Entonces fue por eso…

La excitación de Eva iba en aumento. Se frotaba con violencia la cara, como si quisiera borrarse los rasgos. Aparentaba por primera vez más edad de la que tenía. Había abandonado el reino encantado de la eterna juventud para ser arrastrada de nuevo por la feroz corriente del tiempo.

—Eva, por favor, tranquilízate. No es un pecado tan grande. Te mentía porque estaba enamorado de ti…

—No es eso. Te juro que no me importa que me mintiera, pero ¿no lo entiendes? La nota que le envié a la tienda estaba escrita en inglés, ¿cómo habría podido leerla si no conocía ese idioma?

—Espera, espera, ahora el que no te sigue soy yo.

—Verás, yo le iba a enviar esa nota para citarle a escondidas, y en el último momento se me ocurrió una idea que me pareció maravillosa. Acababa de enterarme de que una de mis amigas de Bilbao tenía alojada en su casa a una chica irlandesa, y pensé que podía pedirle que me tradujera la nota al inglés. Sería así más personal y secreta, pues estaría escrita en un idioma que sólo Alberto conocía; un idioma que era además un poco el símbolo de aquel verano lleno de aventuras y romanticismo. Me puse manos a la obra. Llamé a mi amiga por teléfono y la chica irlandesa me ayudó encantada a escribir la nota, y se la hice llegar a Alberto sin tener ni idea de…

—… que no sabía ni una sola palabra de inglés.

—Y que difícilmente podía entender lo que le decía.

Eva me contó todo esto sin apenas respirar, atropellándose, en un estado de gran excitación y, al llegar a este punto, se puso a llorar cubriéndose la cara con las manos.

—Dios mío, Dios mío… —repetía sin descanso—. Es terrible y tonto a la vez. ¿No te das cuenta? Aunque alguien le hubiera ayudado a traducirla, ¿cómo habría podido atreverse a acudir a la cita?

—No creo que llegara a entenderla. En aquel tiempo nadie sabía ni una palabra de inglés.

Apartó sus manos y me miró con una expresión de derrota, como si corriera detrás de un tren que había partido para siempre. Me incliné para abrazarla. Eva se refugió en mi pecho, sin dejar de llorar.

—Debió de creer que le había descubierto y que le escribía en inglés para reírme de él —siguió diciendo—, debió de creer que le despreciaba. ¿Quién sabe lo que pudo pasar por su cabeza? Pobrecito, yo le esperaba llena de amor y él probablemente sólo pensaba en el espantoso ridículo que había hecho ante mí.

—No tienes que torturarte, tú no tienes la culpa.

Tenía la cara empapada de lágrimas y sentía su humedad en mi hombro.

—Y eso qué importa —me dijo, revolviéndose—. ¿De qué nos sirve descubrir que ninguno de los dos tuvo la culpa si no podemos cambiar lo que pasó?

Sus sollozos eran ahora incontenibles, tan ruidosos que temí que pudieran llegar a oírse del otro lado de la pared. En ese caso, ¿qué pensarían de mí? Me avergoncé de ese pensamiento.

—¿Por qué tanto dolor? —continuó—, ¿por qué el amor no nos protege?

Iba a decirle que se lo preguntara a ese Dios en el que creía, ese Dios que jugaba con el mundo como si fuera un teatro de marionetas construido sólo para su deleite, pero preferí estrecharla dulcemente contra mi pecho.

—Calla, calla —le dije—, no llores así… Ya no sirve de nada.

El amor era demasiado joven para tener conciencia, ¿quién había escrito aquello? El amor de Alberto y Eva había sido el amor de dos niños, por eso había tenido aquella hermosa y turbadora intensidad. Nadie podría consolarla de su pérdida, y mucho menos yo, que jamás había sido capaz de entregarme a nadie de aquella manera. Me sentía como uno de esos intrusos que se cuelan en las bodas y, fingiéndose uno de los invitados, comen y beben hasta hartarse. Aún más, que aprovechando un despiste del novio, tratan de ocupar su lugar en el lecho nupcial. De pronto, ese pensamiento me excitó. Eva seguía abrazada contra mi pecho, sin dejar de llorar, y yo cerré los ojos y empecé a acariciarla. Una de mis manos descendió hasta su vientre y después de jugar con su vello púbico alcanzó su vagina, que seguía maravillosamente húmeda. La estuve tocando hasta hacerla gemir. Pero cuando busqué su boca para besarla, ella apartó el rostro.

—No, por favor —murmuró.

Pero no llegué a retirar mis dedos de su vagina y poco después volví a insistir, moviéndolos lentamente. Mi deseo sexual era entonces tan grande que no pensaba en otra cosa que en volver a penetrarla como fuera. No me importaba estar ocupando un lugar que no me correspondía. En realidad, ¿no era siempre así? Ese juego de sustituciones y mentiras que nos llevaba de unos cuerpos a otros dejando en ellos un rastro de gemidos, promesas y lágrimas, ¿no era el juego infinito del amor? Eva seguía llorando y, ante su pasividad, mis caricias se hicieron más atrevidas y apremiantes. Pero cuando me disponía a situarme de nuevo encima de ella, se negó con firmeza.

—No, por favor —me dijo—, ahora no quiero.

Insistí, abriendo sus piernas y tratando de dirigir de nuevo mi pene hasta su vagina, pero ella volvió a rechazarme.

—No quiero, no quiero…

Y por segunda vez en aquella noche, cedí y me aparté de su lado. Luego la cubrí con la sábana antes de dirigirme al baño. A mi regreso, Eva se había dormido. Era como uno esos niños hiperexcitados a los que un sueño repentino y benéfico libera de caer en la locura. Y, aunque la llamé varias veces, no me respondió. Recogí con cuidado mi ropa y, después de vestirme, me encaminé a la puerta. Antes de salir, me volví para mirarla de nuevo. Eva seguía dormida y su rostro, al relajarse, había recuperado su expresión de maravillada conformidad. La recordé tal como era el verano en que nos habíamos conocido. Su sonrisa, sus ojos jubilosos, el pelo corto que realzaba su cuello, su mandíbula limpia. Incluso me pareció verla en el embarcadero con aquel vestido cuyo vuelo mecía suavemente el viento, como si por todos lados fuera dejando algo de sí misma. En ese instante comprendí que no había abandonado ese sitio. Que había permanecido todos esos años sin moverse, detenida en aquel embarcadero, esperando a que nosotros fuéramos a buscarla. Y que de alguna forma inexplicable había logrado lo que quería. Entonces, sin abrir los ojos, sin moverse, como si supiera que Alberto y yo seguíamos allí velando su sueño, Eva sonrió dulcemente. Era la sonrisa misteriosa de alguien dotado para la felicidad. No me extrañó esa sonrisa: volvíamos a estar juntos los tres y ahora nada ni nadie podría separarnos nunca. Después de todo, era lo más parecido a ese final feliz que su constancia merecía.

Epílogo

No volví a ver a Eva. Tampoco nos llamamos ni nos escribimos, ni llegamos a coincidir en ningún otro congreso. Es más, si dejé de acudir a estos congresos fue, al menos en gran parte, para evitar que eso sucediera. De vez en cuando me llegaban noticias suyas, pues nuestra profesión es poco más que un pequeño club en el que todos nos conocemos. Eran noticias que hablaban de sus éxitos profesionales y de sus participaciones en importantes encuentros internacionales, pues Eva terminó siendo uno de los profesionales más prestigiosos de nuestro país en el tema de los trasplantes de riñón. También llegué a leer algunos artículos suyos. Artículos estrictamente científicos, cuya lectura, sin embargo, me ponía melancólico. Recuerdo el título de dos ellos: «Ablación prostática con láser de Holmium» y «Patología tumoral en el paciente trasplantado». Estaban lejos de poder alimentar las fantasías ni del más delirante de sus admiradores, pero eran brillantes, tanto de concepto como de expresión, y leerlos me hizo sentirme orgulloso de ella y de todo lo que habíamos llegado a compartir. Sin embargo, trataba de mantener a raya mis recuerdos, y no dejarme llevar por ellos.

Varios años después, me enteré de su repentino y triste fin. Un cáncer que segó su vida en unas semanas. Me conmovió lo que me contaron de Jaime, su marido, que al perderla se sumió en una profunda y larga depresión. La muerte de Eva llegó a provocar su relevo en la dirección del hospital que el Opus Dei tiene en Pamplona, y estuvo a punto de dar al traste con todo su prestigio profesional. «Ha adelgazado cerca de veinte kilos —me dijeron—, parece un espectro.» Y yo le imaginaba desarreglado y sin afeitar, visitando en el cementerio la tumba de Eva y poniendo flores sobre su lápida. Prefiriendo tal vez los cálidos abrazos de este mundo a las promesas de eternidad de su compañeros. «Bienvenido al club», pensé. En él estaban aquellos gemelos que la habían iniciado en los deleites del amor, Jaime, su marido, y, como es lógico, Alberto y yo. Y los desconocidos. Eva había insinuado que había habido otros hombres, y, conociéndola, no me cabe ninguna duda de que fue así. Los pecados de la carne nunca han causado grandes problemas de conciencia a los católicos, y no creo que fuera en esto ninguna excepción. De forma que también estarían allí esos amantes ocasionales, pues Eva tenía esa cualidad de quedarse en el cuerpo y en el alma de quienes la amaban.

La noche en que me informaron de su muerte me emborraché. No fue algo premeditado, pero las copas me sentaron fatal. Es algo que me sucede últimamente cuando bebo más de la cuenta, lo que me ha apartado casi por completo de los alcoholes destilados. Tampoco trasnocho. Tengo cincuenta y cinco años y está claro que mi juventud ha pasado para siempre. Y con ella, el deseo de nuevas aventuras o de nuevos amores. Sobre todo de nuevos amores. Se acabó para mí el tiempo del amor romántico. No lo lamento, incluso me atrevería a afirmar que estar lejos de sus sobresaltos y delirios me ha dado más serenidad y, por lo general, me permite dormir mejor. No diré que me ha hecho más feliz, pero ¿quién desea la felicidad? Yo no, desde luego. La obsesión por la felicidad ha sido la causa de las mayores catástrofes que se conocen. Sobre todo a ciertas edades. Sinceramente, no quiero volver a verme en una situación así. Bien mirado, tampoco es tanto lo que se pierde: la risa, las palabras amables, la suavidad de la piel, la embriaguez de los sentidos y una absurda euforia sentimental. Vivir por un tiempo sin temor. Puro espejismo que sólo puede anunciar los mayores desastres.

Apenas salgo, y cuando lo hago no suelo regresar a casa más tarde de las doce. Me sobra con eso. Cuando no estoy trabajando en el hospital, leo o voy al cine. Mi aventura con Eva marcó un punto de inflexión en mi vida. Cuando me recuperé, supe que cierta energía había desaparecido de mi interior, y no la he vuelto a encontrar. Han pasado diez años desde entonces. He conocido a otras mujeres, con las que he tenido aventuras ocasionales y con las que, por lo general, cuando todo termina, suelo mantener una buena amistad, y he visitado algún club nocturno. No demasiados, pues esos ambientes me deprimen. No creo ser ningún mojigato en cuestiones sexuales, pero el sexo que me gusta requiere reciprocidad, cortesía e incertidumbre. Cosas que raras veces se dan en esos lugares.

Me acuerdo de una frase de mi madre. Una vecinita mía se había enfadado conmigo y acudí desconsolado a contárselo. Mi vecinita se empeñaba en algo que a mí me parecía poco razonable, y cuando se lo hice notar recogió sus cosas y se fue. «No es justo», le dije a mi madre cuando se lo conté. Y recuerdo que ella me estrechó entre sus brazos y, mientras me llenaba de besos, me dijo con una sonrisa: «Pobrecito mío… Las niñas no buscan la justicia, sino lo bonito, ser felices». No entendí entonces qué había querido decirme, pero ahora creo saberlo. Entre la justicia y el amor, las mujeres siempre elegían el amor.

Una vez, en mi adolescencia, fui a esquiar al puerto de Navacerrada. Era la primera vez que lo hacía y cogí un autocar que salía muy temprano. No iba equipado para enfrentarme a la nieve, ni sabía esquiar. Cuando llegué a la cima del puerto, a una chica muy guapa se le escapó un esquí que descendió velozmente por la ladera hasta quedar detenido unos doscientos metros más abajo, en unos arbustos. Y yo, caballerosamente, me ofrecí a recuperarlo. La nieve entorpecía mi marcha y por momentos me llegaba a la cintura, lo que hizo agotadora la tarea de llegar hasta el esquí y desandar el camino para devolvérselo a su dueña. Cuando por fin lo logré, estaba tan exhausto que apenas fui capaz de articular una sola palabra. Ella lo aceptó con una sonrisa y, tras darme las gracias, se despidió de mí y se marchó con sus amigas. Lo justo habría sido que me hubiera dado tiempo para recuperar el aliento y poder hablar con ella, al menos para pedirle el teléfono; lo bonito, que yo realizara todo aquello a cambio de nada, sólo por el placer de ayudarla, como hacemos con uno de esos pájaros a los que libramos de una red. Eso era el amor, que ese pájaro regresara cuando nadie lo estaba esperando.

Pero ¿y si el amor no tuviera dueño, fuera como la música, que no es para nadie? ¿Y si el amor fuera como el viento o la lluvia? ¿Os imagináis a alguien que tuviera el poder de hacer llover en una habitación? Pues eso hacen los seres que amamos. Y sin embargo esa lluvia no les pertenece. Llega con ellos pero no son sus dueños. Tal vez deberíamos aceptar así el amor, como algo que viene y se va a su capricho, como hace la lluvia. Esta actitud me ha costado no pocas broncas por parte de mis amigas, que siempre me reprochan mi falta de compromiso. Acepto sus críticas. Tal vez no esté hecho para el amor, tal vez me proteja mi nombre. ¿Recuerdan? Daniel fue arrojado a un pozo lleno de leones y éstos se quedaron dormidos a su lado. Mi madre solía decirme que me había puesto ese nombre para protegerme de los sufrimientos de la vida. A veces lamento estar investido de un poder así. Veo los tormentos del amor, y no puedo dejar de preguntarme qué delicias ocultan para que tantos amantes no quieran renunciar a su dulce trastorno. Y entonces me gustaría no llamarme como me llamo y que los leones me infligieran el mismo tormento que les causan a ellos. Mi madre se equivocó en querer evitar lo inevitable. Debió irse con aquel joyero, el que le ofreció su tesoro. Mi hermano no habría nacido y no habría podido morir de la forma en que lo hizo, destrozando su vida. Claro que en ese caso tampoco yo habría llegado a existir. Bueno, no creo que se hubiera perdido gran cosa.

Pues bien, así pasaba mis días, entretenido en estos pensamientos, cuando tuve que asistir a un funeral por el padre de un compañero de trabajo. Hacía tiempo que no entraba en una iglesia, y me sorprendió el raro fervor que reinaba entre los congregados. El sacerdote era amigo de la familia y se le veía sinceramente afectado por la muerte de aquel pobre hombre que, según parece, había sido una persona ejemplar, aunque en esos momentos todos lo son. El caso es que el sermón fue muy distinto a los poco consoladores sermones que había escuchado en ocasiones parecidas, y lo seguí con interés hasta el final. Dijo que aquel hombre había despertado de su sueño mientras que nosotros, los que quedábamos atrás, éramos el sueño. Salí confundido de la iglesia y después de dar el oportuno pésame decidí pasear un rato, antes de regresar al trabajo. Pensaba en la extraña ceremonia y en todos los que habían asistido a ella. ¿Se lo creían realmente? ¿Podía un adulto en sus cabales creerse esa historia de la otra vida, de la entrada en la Casa del Padre y cosas semejantes? Era obvio que no, lo que hacía aún más extraño que todas aquellas personas, entre las que se contaban jueces, médicos, arquitectos y reputados políticos, asistieran a tales disparates con la misma seriedad con que presidían sus tribunales, asistían a sus sesiones clínicas, se dirigían a sus consejos de administración o hablaban en el Congreso. El cura les había dicho que buscamos señales y maravillas, pero que era fe lo que necesitamos, fe que pone a prueba, fe que duele, pues la fe no garantiza nada y sin embargo lo pide todo. No creo que ninguno de ellos tuviera esa clase de fe, ni deseara tenerla. Habían ido a escuchar otra cosa: que el ser humano se recupera, las heridas se cicatrizan y volvemos a encontrar la tranquilidad.

Y, sin embargo, habían pasado ya dos años desde la muerte de Eva y esas heridas no se habían cerrado, pues seguía pensando en ella a todas horas. Cuando me levantaba, en la ducha, mientras desayunaba, en el trabajo, hasta cuando estaba en el quirófano. Tenía el vientre abierto de mi paciente sobre la camilla y ella, al verme con el bisturí, dispuesto a continuar con aquella carnicería, me decía que tuviera cuidado.

Incluso había vuelto a pasarme con el alcohol. No es que bebiera regularmente, pero cuando lo hacía solía ser a conciencia, lo que se traducía al día siguiente en lamentables resacas de las que tardaba en recuperarme. Y la mañana del funeral, de forma inexplicable por lo temprano de la hora, pedí un whisky en el primer bar que encontré. No sólo eso, sino que enseguida me tomé otro; y un poco después, en un nuevo bar, repetí de nuevo. Terminé casi borracho. Hacía una mañana luminosa y cuando quise darme cuenta me encontraba frente al parque. Las copas frondosas de sus árboles temblaban como un mar verde, y yo, bajo el doble efecto del alcohol y de aquel sermón sobre la otra vida, recordé mi conversación con Eva acerca del fin de los tiempos. Eva creía que cuando ese momento llegara todos resucitaríamos con el mismo cuerpo que habíamos tenido, en su grado de mayor esplendor. Y yo, claro, no pude dejar de imaginármela en los brazos de Alberto, transformada en la chica que habíamos conocido aquel verano. Y como es lógico también me vi a mí mismo en medio de aquella multitud de resucitados. Mi problema era que por más que pensaba en las mujeres de mi vida, no veía a ninguna deseando encontrarse conmigo en un momento tan especial. Y veía a mi madre con el joyero, a mi ex esposa con alguien, que por cierto me sonaba de algo, y que me obligó a hacerme preguntas poco tranquilizadoras, y a las otras mujeres que había conocido y amado, cada una abrazada a su amante, que en estos asuntos las mujeres parecían tener muy claras las ideas y todas habían encontrado al instante a aquel con quien deseaban estar. Hasta me pareció ver a la chica de la nieve, arrobada en los brazos de un campeón de esquí, lo que me hizo comprender mejor su actitud huidiza aquella mañana en la cumbre de Navacerrada.

A estas alturas de mi ensoñación yo había llegado al estanque y estaba contemplando los cisnes que surcaban elegantes sus aguas, como si también ellos fueran criaturas celestes. Terminé sentado en uno de los bancos. Entonces, para mi sorpresa, un pájaro, un gorrión, se posó a mi lado. Y luego lo hizo otro y otro más. Muy pronto estaba rodeado de pájaros. Algunos tan atrevidos que llegaron a posarse en mis rodillas y hombros. Sin duda me confundían con otro hombre. Una de esas personas solitarias que van a los parques a dar de comer a los pájaros, y a los que éstos llegan a acostumbrarse. Probablemente, acudía todos los días a ese mismo banco y a esa misma hora y aquellos pájaros me habían confundido con él y descendían presurosos a por su ración de pan. Estaba demasiado aturdido por el alcohol y la escena me conmovió. Sentía sus patitas, sus gorjeos, su nerviosismo y recordé un momento de mi infancia. Una noche en que fuimos a cazar con una linterna. Los pájaros dormían en las ramas de las acacias y a nosotros nos bastaba con enfocarles con el haz de luz para que se quedaran paralizados. No teníamos problemas entonces para acercar el cañón de la escopeta de aire comprimido hasta casi rozar sus plumas y disparar a bocajarro. Fue una matanza brutal, en la que cayeron más de doscientos. Y recuerdo sus cuerpecitos amontonados en las baldosas del patio y mi perplejidad porque al día siguiente no podía entender qué me había hecho disfrutar de un horror así. Y me pareció que esos pájaros que se posaban a mi lado bien podían ser los mismos de entonces, que ahora resucitaban y venían a mi encuentro para liberarme del peso de aquella culpa, del peso de todas las culpas.

Y allí estaban Eva, mi madre, mis otras amigas, y hasta mi ex mujer y la chica del esquí, que habían abandonado por un momento aquel mundo de besos y caricias del que nunca parecían cansarse, para contemplar el fenómeno de los pájaros que venían a buscarme el día del Juicio Final. Y todas me miraban con la complacencia con que se mira a esos hermanos pequeños que, después de una juventud alocada, por fin enderezan sus vidas haciéndose empleados de banco o agentes de seguros. Y entonces Eva, mi querida Eva, se acercaba a mí y me decía con una sonrisa: «Ya lo ves. Ahora eres el rey de los pájaros». Y la verdad, qué quieren que les diga, después de todo lo que había pasado y de cómo me había ido con ella y con las otras mujeres de mi vida, aquel destino eterno no me pareció tan mal.

NOTA: La frase de las comedoras de lechuga es de Saúl Bellow, la del beso perfecto de Francis Scott Fitzgerald, y la que habla del destino de los animales de Isaac Bashevis Singer. Agradezco, una vez más, a Silvia Querini, mi editora, su atenta e inteligente lectura del manuscrito; a Ramón, Amparo y Elisa, su manual de dudas; y a Jesús W. Piquero su fe.